ZER

VAKANTIE IN ELOUNDA

JAAK STERVELYNCK

VAKANTIE IN ELOUNDA

DE CLAUWAERT V.Z.W. LEUVEN

C.I.P. KONINKLIJKE BIBLIOTHEEK ALBERT I

Stervelynck, Jaak

Vakantie in Elounda / Jaak Stervelynck. —
Leuven: De Clauwaert, 1985. — 191 p.; 20 cm
ISBN 90 6306 203 6
Doelgroep: volwassenen
UDC 82-3
Trefw.: romans; oorspronkelijk

D / 1985 / 0201 / 16
Omslag: Colette Cleeren

1

Het eerste uur van haar eerste vakantiedag.

Louisa trok haar badmanteltje uit, vlijde zich in een ligstoel, keek eerst naar de zee, dan, tussen de overhangende takken door, naar de stralende hemel.

Vrij. Geen man, geen kinderen, geen zorgen, en alle kwade herinneringen uit de gedachten gebannen. De kinderen waren voor de hele maand onder zijn hoede. De rechtbank had op zijn vraag aldus beslist. Ze had er zich naar te schikken. Voor hem de verantwoordelijkheid en de angsten. Kinderen van achttien, zeventien en twaalf. Ze hebben hun wensen, hun eisen, hun nukken. Je weet nooit of het goed is toe te staan of te weigeren. Zij kon moeilijk weigeren. Hij kon het, hij kon alles. Zo dacht hij. Het zou een stormachtige maand worden. Het was hem gegund.

'Ga je op reis' had hij gevraagd toen ze reeds door de voortuin terug naar haar wagentje liep. De twee meisjes, die ze bij hem gebracht had, waren met hun koffers in het huis verdwenen.

Ze had niet dadelijk geantwoord. Haar eerste ingeving was hem in het ongewisse te laten. Ze leidde voortaan een eigen leven waar hij kompleet buiten stond. Hij mocht voelen dat het pijn kon doen niet mee te tellen. Het was al die jaren haar lot geweest.

Maar dan hoorde zij achter haar rug zijn honend gelach.

Ze had gedacht daartegen immuun te zijn sinds ze beslist had van hem weg te gaan. Maar weer raakte het haar, weer richtte het verwoestingen aan. Het gelach betekende: hoe lullig, je gedoe.

Nijdig had ze zich omgedraaid en hem toegesnauwd: 'Ik

ga naar Kreta. Naar Elounda, om precies te zijn.'

In een flits van haar boze blik had ze de verbazing gezien op het gezicht van de dikke man, die in de deuropening stond. Ze had zich dadelijk van hem afgewend, was in de auto gestapt en snel weggereden.

Ze lag onder een breedgetakte olijfboom in de op het strand uitgevende tuin van het Astir-palace-hotel. De zon stond in het zenit, de zee was rimpelloos, de bergen in de verte doezelden weg in hittedampen. Meer dan twintig jaar samenleven, drie kinderen, en nu deze vijandschap, deze haast fysische noodzaak elkaar pijn te doen. Had ze hem pijn gedaan? Was het mogelijk zijn pantser te doorbreken? Was het enige, wat ze met de onelegante houding bereikt had, niet dat ze zelf met een kwetsuur liep, die zich voelen liet, nu ze kommerloos genieten moest?

Aan de overhangende takken bultten knoestige aanwassen. Zonder zich op te richten, enkel door de arm te strekken kon ze een van die aanwassen bevoelen. Het oppervlak was ruw, kantig, en hard als metaal. Ze zou moeten oppassen als ze van de ligstoel opstond, dat ze er met het hoofd niet tegen stootte. Ze zou zich kneuzen en de wonde zou veretteren. Het was een overtuiging, die plots bezit van haar nam, en die haar in verwarring bracht. Ze was uiterst kwetsbaar. De grens van haar inkasseringsvermogen was bereikt. Haar zenuwen liepen vlak onder de huid. Bij de geringste aanranding kon ze door de knieën gaan. Ze vreesde de aanraking met de metaalharde aanwassen van de olijftakken, maar nog meer vreesde ze schuine blikken, gegiechel achter haar rug, medelijden. Met skrupuleuze zorg had ze zich voor de reis voorbereid. Haartooi, kleren, badpakken had ze honderd keer voor de spiegel gekeurd. Ze had een behoorlijk figuur voor haar vijfenveertig, ze had er zich kunnen van overtuigen. Het strak naar achteren getrokken kapsel deed haar bijna Grieks profiel voordelig uitkomen. De borsten waren zwaar, maar net nog binnen de normen van wat voor een volslanke aanvaardbaar was. Dijen en benen waren gaaf, de lichte aanzet van aderspatten ontsierde nauwelijks. Ze kon zich vertonen. Maar opzichtigheid, alles wat suksesjagerij

kon verraden, moest ze angstvallig vermijden.
De verbazing op zijn kwabbig gezicht, dacht ze weer.
Ze had hem geraakt. Ze had iets gedurfd wat hij niet verwacht had: helemaal op haar eentje een verre reis. En uitgerekend naar Kreta, waar ze drie jaar geleden met zijn tweeën waren geweest. Na een maand met veel krakeel was hij glunderend voor de dag gekomen met vliegtickets, hotelreservaties, folders.
'Zie wat ik voor ons bedacht heb. We hebben het allebei nodig.'
'Een uitermate geslaagde vakantie,' zei hij achteraf in de luchthaven van Heracleon. Hij had een royale geste gehad, hij had het goed gemaakt, de dreiging van een scheiding die rampzalig was geweest voor het bedrijf, had hij bezworen. Hij was de handige, die op het gepaste moment naar de gepaste middelen greep, de man die in alles slaagde, de onvermijdelijke winner. Hij bazuinde het uit hoe goed ze het gehad hadden op het Griekse eiland en welke halsbrekende autotochten ze langs bergpaadjes ondernomen hadden.
Ze boog het hoofd tijdens zijn entoesiaste verhalen.
Geradbraakt was ze van die vakantie met de rusteloze teruggekeerd met de vage hoop het eens over te doen, op haar eentje of in het gezelschap van iemand die meer dan een kwartier nodig had om Knossos en Faistos te verkennen. Wie kwam daarvoor in aanmerking? De vriendinnen van vroeger bleven weg. Als ze opbelde voor een namiddagvisite putten ze zich uit in exkuses. Ze hadden het razend druk met man, kinderen, werk. Ja, ze begreep. Ze had het ook niet onder de markt met haar ondernemende man. Ze moest bijspringen op het kantoor. Het was ten slotte haar zaak, de zaak van de familie. En onderwijl, met de hoorn nog aan haar gezicht, liet ze de blikken door de lege kamers gaan, zoekend naar iets om de lange middag door te komen.
'Voor haar is het dat ik Griekenland koos. Ze heeft klassieke talen gestudeerd, moet je weten. Die hopen oude stenen, daar heeft ze wat aan.'
Hij had een stel bekenden om zich heen, die hem lieten praten terwijl whisky en cognac in de glazen fonkelde en

sigarenrook in horizontale rafels onder de lampen zweefde. Hij was van tien verenigingen lid, hij was van velen de geprezen mecaenas. Na afloop van een koncert of van een vertoning vielen ze met tientallen het huis binnen.

'Voor haar is het dat ik dit huis kocht, haar ouderlijk huis. Jullie herinneren zich wel hoe het in vreemde handen overging.''

Voor haar, voor haar. Nooit zei hij 'voor Louisa'. Zijn 'voor haar' had een bijklank: ze waardeert niet, ze beseft niet wat ze aan mij heeft.

'Ik had voor ons gezin betere huizen kunnen vinden. Ik had er een kunnen laten bouwen helemaal naar mijn zin. Maar ze was aan dit gebouw gehecht.'

Zij glimlachte een pijnlijke glimlach. De afkeurende blikken, die naar haar loensten, bezeerden haar. Ze waren hem verkleefd, het stelletje dat hij royaal op likeuren en sigaretten vergastte... Voor hen was hij een man uit de duizend, opgescheept met een asociale vrouw, die laatdunkend op hem neerkeek, laborerend aan een duistere wrok, waarin je je als vriend en begunstigde van de geweldige man niet verdiepen kon. Was er niemand in dit hele gezelschap, die bevroedde wat er in haar kapot gekrenkte gemoed omging?

Een heel mooie vrouw in hemelsblauw laag uitgesneden badpak passeerde. Een rijzige man in zwembroekje hield haar bij de hand. Hij had een kort grijzend baardje, dun sluikhaar tot in de nek. Met soepele ritmische schreden daalden ze de stenen trappen af, die van de tuin naar het privé strand leidden. Tot aan de waterlijn hielden ze elkaars hand vast. Dan trok de vrouw een kleurige badmuts aan terwijl de man zich in het water wierp en zich met krachtige crawlstoten van de oever verwijderde.

Een beeldig paar, dacht Louisa, ogenschijnlijk zeer aan elkaar gehecht. En mooi, mooi. Vooral de vrouw met haar heel lichte haar, haar zachte ovalen gezicht, haar te naaste bij volle vormen. De man was tien, misschien vijftien jaar ouder, maar dat stoorde niet. Een paar om jongemeisjesdromen te bewonen. Graag had ze zonder meer bewonderd, maar de bewondering ging gepaard met pijn in de borstkas, en ze voelde haar gezicht verstrakken. Ze liet zich op de ligstoel neer en bracht haar handen voor haar ogen. Wie ben je, Louisa Vangassel, dat het zien van een mooi mensenpaar je van streek brengt? Het bewonderde paar had ongeveer haar leeftijd, de vrouw iets jonger, de man iets ouder. Alles wees erop dat ze in een perfekte harmonie met elkaar leefden, naast elkaar lopend, samen zwemmend, samen etend, samen slapend. Was het een wettig paar? Waren ze evenals zij reeds twintig jaar getrouwd? Hadden ze kinderen? Vragen om bij stil te staan. Kon een zo volmaakte harmonie opgewassen zijn tegen de sleur, de onaangenaamheden, de tegenkantingen, de wrijvingen van vele jaren?

Ze besloot dat het niet kon. Ze had het vlug uitgemaakt. Een arts met een jonge verpleegster, een industrieel met een sekretaresse; een advokaat met een bediende, tal van kombinaties waren mogelijk, behoorden tot de zeden van de tijd. Je bent niet meer bij als je een heel leven lang bij dezelfde blijft. Je laat je verschalen, verschrompelen, verbitteren, leeg halen. Eens in de veertig heb je een nieuw verhaal nodig, een sprong in de onzekerheid, een avontuur waarin je uittesten kunt welke mogelijkheden je nog in je flanken draagt. Was dat de onbekenbare bedoeling van haar eenzame vakantie?

Niet piekeren. Drie weken lang de dingen ondergaan, ze op zich laten afkomen. Niets ondernemen. Genezen van de jaren lang toegebrachte kneuzingen, messteken, vuistslagen. En vernieuwd en verjongd naar het oude land terugkeren.

Ze haalde uit haar tas haar badmuts boven. Ze was met plastic bloemen bezet, oranje bloemen met bruine harten, en harmonieerde met het badpak, dat een koffiebruine fond had, waarover oranje lovertjes rankten. Ze had in haar koffer andere badpakken en andere mutsen, een effen blauw waarbij een witte muts paste, een zeegroen waarbij een muts van dezelfde kleur hoorde.

Met een ruk, die sportieve lenigheid wilde laten zien, stond ze van de ligstoel op. Onzacht kwam haar hoofd tegen de aanwas van de overhangende tak terecht. Even had ze een stekende pijn aan de linkerslaap, net onder de spannende badmuts. Ze was boos op zichzelf maar ze wilde de sportieve indruk van haar vlugge beweging niet te niet doen. Zonder haar élan te onderbreken daalde ze op blote voeten de ruwe stenen trap af, voelde de schroeiing van het hete zand aan haar zolen, keek glimlachend voor zich uit naar het stralende blauw van hemel en zee, een goed bewaarde rijpe vrouw, een op keurigheid gestelde vrouw, een vrouw die zich kon vertonen. Pas wanneer ze met de voeten in het water stond gaf ze toe aan de neiging de gekneusde slaap te bevoelen. Een straaltje bloed zette zich op haar vingers af. Ze dook in het water. Langzaam stevende ze in de richting van een witte plezierboot, die te midden van de baai voor anker lag. Over haar hoofd heen speelden lawaaierige Duitsers een balspel. Rustig roeiend bereikte ze de stillere zone van de baai, waar enkel geoefende zwemmers zich waagden. Op een geringe afstand van het strand, zo stond in de folder te lezen, daalt de zeebodem steil naar beneden. Je heb spoedig een diepte van dertig à veertig meter, zodat de ligging van het hotel uitstekend geschikt is voor onderwatervisserij. Als ze het rustig deed kon ze heel ver zwemmen. Het amper golvende water was een lauwe streling. De linker slaap deed weer pijn. Het was alsof een insekt er zich met puntige scharen vastgezet had. Ze moest uitwijken voor een man en een vrouw, die zij aan zij terug naar de oever zwommen. Het was het paar dat ze daarnet bewonderd had. Van heel dichtbij kon ze hen nu opnemen, terwijl hun zonbeschenen gezichten over het water naar haar toe schoven. Toen zag ze iets wat haar schokte. De rechter helft van het gezicht van de man was gruwelijk geschonden. Paars en bij plekken bijna zwart was de huid aangewreten. Lupus, huidkanker, verbrand door een ontploffing? Vragen, die ze zich stelde terwijl ze verder zwom. Vragen die haar bedroefden. Was er op de planeet voor volmaaktheid geen plaats?

Ze raakte voorbij de beschutting van de baai. Een zijdelingse wind sloeg haar in het gezicht en er kwam deining in het water, een brede deining die nauwelijks hinderde. Ze was de plezierboot tot op een boogscheut genaderd. Jazzmuziek klonk eruit op. Een jonge vrouw, helemaal naakt, stond van oranje kussens op en keek op haar neer. Ze gaf er zich rekenschap van dat geen enkele zwemmer zich even ver gewaagd had. Ze keerde zich om, bracht het hoofd onder water en crawlde naar de oever toe. Terug op schoolslag overschakelend naderde ze langzaam de luidruchtige Duitsers. Onder de stranddouche spoelde ze zich af. Een meisje van ongeveer twintig kwam naast haar staan en draaide de andere kraan open.

'Heerlijk,' zei ze terwijl het water over haar gezicht en haar lange haar stroomde. Ze liet het stortbad duren en sloeg aandachtig haar jonge gezellin gade.

Het meisje glimlachte. Ze was niet bepaald een schoonheid. Een kersrode moedervlek ontsierde haar stevige hals. Maar de klank van de stem was aangenaam en de bruine ogen keken vriendelijk.

'U bent een Belgische. Ik hoorde het toevallig gisteren aan de receptie, toen u zich aanmeldde. En helemaal alleen op reis.'

'En u komt van een eind boven de Moerdijk. Dat hoor ik aan uw spraak. Maar of u alleen bent kan ik daaraan niet uitmaken.'

'Alleen. Reeds veertien dagen alleen. En u bent de eerste met wie ik in de eigen taal kan praten. Nu wat zonnen om de opgedane frisheid kwijt te raken. Heb een leuke dag.'

Weer op haar ligstoel waarvan de schaduw van de olijfboom weggeschoven was. Ze moest het Hollandse meisje haar naam vragen. Ze moest ook te weten komen of de mooie vrouw en de man met het verminkte gezicht een wettig paar waren. Weetjes, die nergens toe dienden en waarop ze jacht zou maken. Tijdverdrijf om de lange vakantiedagen te vullen.

Over vier, vijf jaar wachtte een eindeloze reeks lege dagen. Ann zou getrouwd zijn of in alle geval het huis uit. Zoals die het aanlegde, viel er niet aan te twijfelen dat ze spoedig van onder de moederlijke vleugels vandaan zou willen. En Treesje, de vroeger zo lieve, aanhankelijke, studieuze (maar de laatste maanden verontrustend minder studieus), Treesje die haar oudere zus bewonderde, zou het voorbeeld volgen. En Geert, de tweede, na het meisje de gewenste zoon — ze kon haar vreugde toen niet op — Geert koos voor zijn vader, vergaf haar de scheiding niet, wilde zelfs niet op bezoek bij haar. Geen kinderen meer, geen taak. Het vooruitzicht vervulde haar met angst terwijl ze daar lag, geaaid door de zon en door een plots opgestoken lauwe wind.

Een lichte kwelling van honger meldde zich aan. En van dorst, vooral van dorst. De braadlucht, die aanwoei uit het grillhuisje, dat bezijden de tuin opgericht was, was er verantwoordelijk voor. Zou ze toegeven? Een maaltijd overslaan zou haar gestel te goede komen. Het gevaar was dat ze dan 's avonds teveel at en met een overbelaste maag de slaap niet vond. Zorgen van een vrouw die enkel op zichzelf bedacht hoefde te zijn. Zorgen van een nutteloze vrouw.

Hotelgasten in badpak liepen in groepjes naar het grillhuisje. Goed gebouwde mannen, slanke vrouwen, die er niet beducht voor waren wat gewicht bij te kweken.

Hoefde zij er beducht voor te zijn? Volgens de medische schaal woog ze enkele kilo's teveel. Het was niet dramatisch en ze zou veel zwemmen, veel wandelen. Ze hoefde geen honger te lijden.

Op het terras van het eethuisje gekomen zocht ze vruchteloos naar het Hollandse meisje. Ze nam plaats aan een tafeltje, waar voor een persoon gedekt was. Vlak ernaast kwamen de man met het verminkte gezicht en zijn mooie gezellin zitten. Weer bewonderde ze de vrouw.

Verbazend hoe haar kapsel ongehavend de zwempartij had overleefd. Nauwelijks een begin van eendenpootjes aan de ooghoeken, heel slanke handen, lange vingers, rozig gelakte vingernagels, een schemering van dons over de gladde dijen, de borsten iets te klein, maar dat was een kwestie van smaak.

Ze bestelde een visschotel met rauwe groenten en een halve fles rosé. Het beeldige paar sprak Frans. Ze vermeed naar de man te kijken, bang hem in verwarring te brengen. Ze had met de vrouw te doen, die voortdurend de schending van haar geluk voor ogen had, maar die er niet scheen onder te lijden. Haar ogen waren wijd open op de man gericht, terwijl ze met hem praatte. Goedheid sprak uit haar blik. Goedheid, liefde, geluk. Zich wijden aan iemand, die door een ramp getroffen is, misschien was dat voor een vrouw het ware geluk. Ze kon zich een moment in de gedachten van de vrouw inleven. Ik ben mooi, en het is louter voor jou, voor het plezier van je ogen. Wat er met je gebeurd is, doet niets af van wat ik voor je voel. Integendeel, ik weet dat je me nu meer dan ooit nodig hebt. Misschien is de ramp ons geluk. Ze bindt ons hechter, ze zal blijven binden, ook als de kwaal verder woekert. Ze had tranen in de ogen. Bij gebrek aan een zakdoek wiste ze het vocht met een papieren servetje weg. Meteen voelde ze weer de pijn aan de linker slaap. Had ze nu het Hollandse meisje bij zich, ze zou zich beter voelen. Iemand om zowat te bemoederen. Over twee, drie jaar zou haar Ann dezelfde leeftijd hebben. Wat ze voor haar oudste dochter voelde kon ze voor een poos op het vreemde kind overdragen. Hadden die twee iets met elkaar gemeen? Ann was mooier, slanker, groter. Maar koeler, minder trouwhartig. Nooit kreeg ze van haar een zo vriendelijke blik als die waarmee het Hollandse meisje haar onder de stranddouche aangestaard had. Hoewel Ann in het echtelijke konflikt resoluut aan haar zijde stond, haar steunde, haar stimuleerde zich niet langer op de kop te laten zitten. Was het een bewijs van gehechtheid? Of revolte tegen het drukkende gezag van de vader?

Wandelen, zwemmen, zonnen, niet tobben. De moeilijkheden zouden er vlug genoeg weer zijn. Naar het dorp was het drie kilometer lopen. Ze was alleen onder de loodrechte zon. Een motorfietser stoof haar voorbij met sputterende uitlaat, een zog van benzinedamp achter zich latend. Gekrijs van krekels in de dorre gewassen van de wegberm. Brand op haar blote schouders. Het was de eerste dag, er was voorzichtigheid geboden, ze trok haar badmanteltje aan. Eethuisjes lagen achter sintjansbroodbomen en olijfbomen verscholen. Een bejaarde man besproeide met een slang een lapje rosse aarde, waarop enkele rijen tomaatplantjes stonden. De weg klom. Over daken heen was een strook zee te zien, en daarachter het eiland Spina longa, het eiland van de dood. Europa's laatste leprozerij was er veertig jaar geleden opgedoekt. Er stond ook een merkwaardige Venetiaanse vesting. Een en ander wist ze uit de folder. Er waren boottochtjes mogelijk naar het eiland van de dood. Zonderling vakantiegenoegen: het oord bezoeken, waar wegrottende mensen de dood afwachtten met voor ogen een blauwe baai en de glooiing van een lieflijk gebergte.

Ze bereikte het dorp. Het lag in een halve boog om het haventje heen, waar visserssloepen en plezierboten voor het pittoreske uitzicht zorgden, eigen aan alle kustplaatsjes aan de Middellandse zee. Een neobyzantijnse kerk met koepel en toren spiegelde in de kom. Hogerop, tegen de flank van het gebergte aan, tekenden nog twee andere kerken of kerkjes zich wit tegen donker geboomte af. Bootslieden klampten haar voor een zeetochtje aan, een kellner wenkte en wees naar een gemakkelijke stoel onder een zonnetent.

Ze liep verder. Een weg klom steil naar een huizengroep, die halverwege de bergflank rond een kerkje geschaard was. Een dezer dagen zou ze daarheen wandelen. Liefst niet alleen. Liefst in het gezelschap van het Hollandse meisje dat haar dochter had kunnen zijn.

Ze liet zich op een bank neer en staarde gedachtenloos over het water heen naar het eiland van de dood. Ze sloot de ogen. Ze had kunnen wegdommelen.

2

Drie jaar geleden, eerste grote krisis. Volgde de reis naar Kreta en de verzoening, die met champagne gevierd werd. Hij deelde klinkende zoenen uit, eerst aan haar, dan aan de kinderen, dan weer aan haar.

'Is het niet mooi, een familie, die na wat strubbelingen weer verenigd is? Ik hef het glas op het huwelijk, op het gezin, op de hoeksteen van de samenleving.'

Haar grote ouderlijke huis, dat hij terug had kunnen kopen. De marmeren schoorsteenmantel, die haar vader uit Frankrijk had laten brengen en die uit een gesloopt kasteel afkomstig was. Middenin was er een adellijk wapenschild gebeiteld. Ze streelde dit marmer terwijl hij het met de kinderen over zijn toekomstplannen had. Hij had weer moed. Met revolutionair gestook in de achterhoede kan een leger niets goeds uitrichten. Het gezin is de achterhoede van de zakenman. Daar moet vrede heersen. Hij heeft immers op veel fronten tegelijk strijd te voeren, tegen de leveranciers, tegen de syndikaten, tegen de fiskus, tegen allerhande ministeries, tegen de konkurrenten, tegen de vertegenwoordigers. Als hij ook nog zijn kop moet breken met kleinzielige twisten in het huis waar hij verpozing moet vinden, gaat hij naar de haaien.

Ze streelde het koele marmer en keek in de spiegel, die boven de schoorsteenmantel hing. Ze keek zichzelf in de ogen. Grote zwarte ogen, melancholische ogen. Zijn pleidooi voor de vrede in het gezin was een beschuldiging. Hij brak haar bij de kinderen af. Om haar weerspiegeld hoofd heen was de schittering van de kristallen luchter met de dertig lampen, zijn laatste aanwinst voor het stofferen van het huis. Naar haar smaak was die luchter te groot. Ze had een afkeer voor wat opzichtig was, voor wat nadrukkelijk op rijkdom wees. Een karaktertrek, die ze van haar vader geërfd had. Haar schroomvallige voorzichtige vader. Al te voorzichtig voor een bedrijfsleider. Machines die nog draaiden moesten verder draaien. En aan nieuwe produkten waagde hij zich niet. 'Het ligt niet in onze lijn, we zouden er geen geluk mee hebben.'

Keukenhanddoeken en tafelkleden, geruite keukenhanddoeken, geruite tafelkleden, twee generaties lang rolde ongeveer hetzelfde geweefsel van de te lang in bedrijf gehouden getouwen. Produkten die geen prijs meer haalden. Het lag aan de konkurrentie van de lageloonlanden, het lag aan de vaatwasmachines in restaurants en ziekenhuizen, het lag nooit aan hem. De magazijnen kraakten onder de vracht onverkoopbaar geweefsel. Toen kwam hij, bedrijfsrevisor en bedrijfskonsulent, jong, zelfverzekerd en vernietigend. 'Je raakt er nooit meer uit. Boeken neerleggen, meneer. Geen dag wachten, als je niet wilt dat de rest van uw patrimonium opgeslokt wordt.'

Voor een appel en een ei kocht hij het boeltje van de kurator af; stelde tekstielpakketten samen, zond kleurige folders rond, verkocht de getouwen, op één na, waarop hij linten voor schrijfmachines weefde. Het hele gezin werd aan het werk gezet, inpakken, adressen schrijven, zegels plakken. Het hele gezin behalve zij. Zij had de geschikte stem om de telefoon te bedienen, zij had ogen die leveranciers en klanten vertrouwen inboezemden. Was hij het brein van de zaak, zij was de vlag. Anderhalf jaar nadien waren ze getrouwd, net voor het ouderlijke huis, dat de waarborg van de banken uitmaakte, openbaar werd verkocht.

Haar schroomvallige vader, haar fiere moeder. Van het huurappartementje in een buitenwijk, dat ze betrokken, kwamen ze elke dag naar de nieuwe zaak. Om acht uur waren ze daar, om in te pakken, adressen te schrijven, zegels te plakken. Hij peroreerde over hun gekromde ruggen heen: 'Het verschil tussen twee miljoen verlies en twee miljoen winst per jaar is niet groot, enkele centiemen in de kostprijs van het produkt, enkele centiemen percent voor de bankkredieten. De banken zijn onmisbare parasieten.'

Ze opende haar ogen. Had ze geslapen? Haar rug deed pijn van het leunen tegen de harde latten van de bank. Een man in matrozenpak wenkte en wees naar een opgetuigde boot waaraan tientallen wimpeltjes wapperden. Ze schudde het hoofd. Terugkeren naar het hotel, zwemmen, iemand vinden om mee te praten. Ze ontdekte dat er een smal pad langs de zee liep. Hotelletjes en drankhuisjes gaven erop uit, hun gasten lagen op elkaar gepakt te zonnebaden op een enge reep keien waar een lichte branding vuil schuim afzette. Een mengelmoes van talen waarin het Duits de overhand had. Reuken van teer, zonneolie en zweet, en dan weer benzinedamp, waar de motor van een sloep op gang getrokken werd. De sfeer van de goedkope vakantie in het zuiden. Een moemakende bedroevende sfeer. Wat heeft het leven die lieden te bieden, als dit het droombestaan van een paar weken is, waarvoor ze een heel jaar sparen?

Het pad zwenkte zeewaarts. Het bleek een lange dijk te zijn, waarmee een strook land ingepolderd was. Op de ingedijkte percelen glinsterde zoutafzetting en aan de randen ervan groeide een vreemdsoortig wijnrood gewas.

Tegen de heuvels van het eiland Spina longa tekenden zich drie half verpuinde molens met metalen wieken zonder zeilen af. Het bleek dat ze langs die dijk het eiland kon bereiken. Ze liep er helemaal alleen. Geen enkele toerist was zo waanzinnig om moederziel alleen onder de ongenadige zon naar het eiland van de dood te lopen. Ergens achter rotsblokken of achter somber struikgewas kon een kerel met boze bedoelingen op de loer liggen, wachtend tot ze uit ieders zicht verdwenen waren. God, wat was de eenzaamheid zwaar om dragen.

Een begaanbaar pad liep links in de richting van een verwaarloosd gebouw, een tweede pad, dat even bruikbaar leek klom de heuvel op, een derde pad liep naar rechts, vlak langs de rotsige kust. Ze koos dit laatste, hoewel het een halsbrekende klimpartij beloofde. Ze sprong van rotsblok op rotsblok. Tientallen meters onder haar kolkte de zee tussen uitgevreten steenmassa's. Ze ging zitten. Aan de overkant lag haar hotel tussen fris groen. In de verte waren de contouren te ontwaren van een stadje, dat Agios Nicolaos moest zijn. Op de verhevenheid, waar ze zich bevond bracht een briesje verfrissing. Ze had een goed zitje en een fraai uitzicht, ze kon blijven genieten zolang als ze er zin in had. Ze hoefde met niemand rekening te houden. Geprezen eenzaamheid.

Iemand bij zich te hebben, die van dezelfde dingen houdt als jij. Of die zich naar jouw verlangens voegt. En naar wie jij je graag bij gelegenheid schikt. Graag, omdat je er veel voor over hebt om het hem behaaglijk te maken. Omdat je weet dat zo ook zijn ingesteldheid tegenover jou is. Dit is de echte weelde. Ze dacht weer aan de man met het geschonden gezicht en zijn mooie vrouw. En meteen dacht ze aan Rudolf Vanbrakel. Uit het verleden trad hij naar voren, schuchter glimlachend, even lang en pezig als de man met het geschonden gezicht, het zelfde baardje, dezelfde tederheid.

Ze had interim's in een meisjesschool. De bello Gallico, Xenofon, Latijnse en Griekse spraakkunst. De lange leraar van de poësisklas met zijn zwarte sik en zijn diepliggende ogen bood haar zijn hulp aan voor het geval dat ze problemen mocht hebben, bijvoorbeeld om de moeilijkheidsgraad van de te kiezen teksten aan te passen aan de mogelijkheden van de leerlingen. Ze mocht die mogelijkheden helaas niet overschatten. De t.v. en de dansavondjes tastten ze aan. Het was niet hun schuld dat ze moesten opgroeien in een tijd, die hun de lust ontnam om zich inspanningen te getroosten.

Ze liep naast hem door de kloostergangen en over het rekreatieterrein.

'Ze zijn mooi, sportief, levenslustig. Als ze zestien zijn hebben ze een vriendje, ongeduldig om hun deel te bemachtigen van wat er in de wereld te koop is. Heel anders dan ik, heel anders dan wij.'

Hij was verliefd maar zei het niet. Ze was niet zijn eerste verliefdheid. De direktrice had haar gewaarschuwd: elke nieuwe vrouwelijke leerkracht, die min of meer aantrekkelijk was, werd spoedig het voorwerp van zijn zachte inpalmende bevoogding. Hij was vijfendertig en ongehuwd. De bevoogding ervaarde ze niet als hinderlijk of uit de hoogte. Het was zo goed bedoeld en zo beschermend. Hij had leerkrachten letterlijk kapot weten maken door onmeedogende bakvissen. Hij wist wat het was, 'niet de juiste toon te kunnen treffen.' En van jaar tot jaar is het een andere toon, die je moet vinden. Bepaald moeilijk voor ons, die hun voor oude teksten waardering moeten bijbrengen.'

Was zij verliefd? Ze voelde een aangename beroezing als hij naast haar liep te monologiseren. Wat hij zei drong niet altijd tot haar door. Ze luisterde meer naar de klank van zijn stem en naar zijn intonaties dan naar hetgene hij aan haar kwijt wilde. Waar het hem om te doen was, zijn gevoelens namelijk, kwam nooit met zoveel woorden ter sprake. Hij praatte eromheen. Zijn schuchterheid was een ontzaglijke rem. Een woord, een gebaar harerzijds zou die rem hebben doen springen. Zijn diepliggende ogen konden zichtbaar smeken om dat woord, dat gebaar. Maar zij gunde het hem niet, zij kon niet om liefde bedelen. Toen had ze nog haar trots, een trots uit een voorbije tijd, de trots van haar moeder.

Of was ze toen reeds in de ban van die andere, de bedrijfsrevisor en bedrijfskonsulent met de flitsende blik en de zelfverzekerde uitspraken, eerst verkondiger van de ondergang, dan bewerker van de heropstanding? Het mirakel van Lazarus, zuchtte haar moeder. De man met de duizend knepen.

Ze zag zich aan de hand van Rudolf Vanbrakel door de tuin van het Astirpalacehotel lopen, de trappen afdalen naar het strand, zij aan zij zwemmen. Ergens op een zwenking van de weg had ze het geluk gemist.

Het geluk, zei ze halfluid. Het tot op de draad versleten woord lag in haar mond. Bestond er in de werkelijkheid van een mensenleven iets wat eraan beantwoordde? Simpele geest, zei ze tegen zichzelf. Je ziet een man teder met een vrouw omgaan, je weet niet eens of de vrouw voor die man geen banaal slippertje is, en je beeldt je in dat dit levenslang voor jou weggelegd was en dat je het dwaas kwijt gespeeld hebt. Simpele geest, zijn scheldwoord. Ze dacht met zijn woorden, ze had hem in haar lijf, haar eigenheid was eruit geperst. Een substantie van hem had bezit van haar genomen en hield haar klein, onzeker, van hem afhankelijk. Was

Ann er niet geweest, ze zou er nooit toe gekomen zijn de grote stap van hem weg te zetten.

Ze stond op. Het was bijna vijf uur. Een half uur lopen, een duik in de zee, zich opmaken voor het diner, zien hoe ze de avond kon doorkomen.

Onder de stranddouche kreeg ze onverhoopt het gezelschap van het Hollandse meisje. Ze gingen naast elkaar liggen in de late zon en vertelden hoe ze de middag hadden doorgebracht. Els, — zo heette het meisje, — had in een boetiekje van het hotel een Engels boek gekocht van Laurence Durrel. Ze had de hele tijd liggen lezen. Het was een futuristisch verhaal over een man, die een robot liet maken, die helemaal het evenbeeld was van een overleden vrouw, die hij bemind had. Niet alleen het uiterlijk was identiek, maar ook de stem, de gedachten, de gevoelens, de reakties. Ze was tot halverwege het boek geraakt. Ze vermoedde dat er iets dramatisch op til was tussen de kunstvrouw en de minnaar.

'Ik heb op mijn eentje gewandeld. In het begin viel het mee, maar dan overviel me zwaarmoedigheid.'

De bekentenis speet haar meteen. Het was toegeven dat ze hulpeloos was, terwijl ze aan zichzelf hoorde te bewijzen dat ze de zelfstandigheid aankon.

De bruine ogen van Els keken haar vorsend aan. Even leek het erop dat ze op haar beurt over haar gesteltenis zou gaan praten. Ook zij was immers eenzaam, ook zij moest redenen hebben om alleen op reis te gaan. Een liefdesaffaire, een konflikt met de familie, een grote ontgoocheling, ze had er het gissen naar. Ze was opeens heel nieuwsgierig naar wat er in dit jonge leven gebroken was. De dagen in Elounda zouden goed en mooi zijn als het tot een uitwisseling kon komen van ervaringen, gevoelens, bedenkingen.

Maar Els liet zich weer in de ligstoel neer. Op vlakke toon, ietwat neerbuigend, misschien zelfs verveeld, zei ze:

'Ik heb ingeschreven voor een busreis naar Faistos, die morgen plaats heeft. Waarom zou je niet meegaan?'

'Ik ben hier pas... Maar goed, in jouw gezelschap zal het leuk zijn.'

Ze was op het gezelschap gesteld van dit jonge ding, dat

haar dochter had kunnen zijn. Ze zocht het bij de jeugd, bij Ann, bij Els. Een verloren vitaliteit wilde ze terug winnen.

Ze baadde uitvoerig in een overvloed van schuim. Ze lag te dromen, voelde het badwater koud worden, haar leden verstijven, doezelde weg met plots weer scherp de pijn in de kleine wonde aan haar slaap. Pijn aan het hoofd en pijn in het hart. Het zou geen prettige vakantie worden. Dat er haar iets boven het hoofd hing liet zich niet wegredeneren. Was het verstandig heil te verwachten van dit vreemde kind, dat niet bereid bleek intieme zaken bloot te geven? Waarom dan proberen interesse te wekken voor haar eigen lot van dodelijk vernederde vrouw, die ook bij haar eigen kinderen niet voor vol kon doorgaan. Dat was het wat haar kapot maakte: met haar kinderen kon ze het niet doen. Ook niet met Ann, al leek het anders. Ann gebruikte haar, Ann wilde de vader een hak zetten...

Maar Els had trouwe ogen. Dat ze daarnet terughoudend was geweest mocht niet tot de konklusie leiden dat ze hardvochtig zou afwijzen. Ze was uit een ander hout gesneden dan de berekenende Ann, die de strategie tegen de vader had opgezet. Niet aan Ann denken, zich laten genezen door wat er zich aanmeldde. En voor het ogenblik was er niets anders dan dit trouwogige kind.

Ze koos een lange mouwloze resedakleurige jurk, waarbij een vergulde gordel hoorde. Geen ander sieraad dan een gouden armband.

Naar de eetzaal was het een hele wandeling. Ze nam de kortere weg, die door de tuin liep. Knechten waren bezig bomen en struiken overvloedig te besproeien. Een vleugje stuifregen beroerde haar. Uit de bungalow's, die tot het complex van het hotel behoorden en links en rechts in de tuin verspreid lagen, kwamen gasten aangewandeld, paren meestal met oudere kinderen. Ook de man met het geschonden gezicht en zijn mooie vrouw waren er, hij in een onberispelijk zittend wit kolbertje en een beige pantalon, zij in een lange witte jurk, die haar rug bloot liet. Hoe mooi liepen ze in hun aan elkaar aangepaste soepele tred. Waarom voelde ze weer pijn opzetten? Daar was Els, ze voelde haar gezicht ontspannen. Het goede kind had aangevoeld dat ze behoefte had aan gezelschap. En keurig was ze, het haar opgestoken, in een spannend lichtblauw bloesje en een witte rok met blauwe motieven.

'Ik heb een tafeltje voor ons beiden gereserveerd. Vind je het goed?'

Ze schoof haar arm onder die van haar gezellin.

'Je bent lief. Ik heb het gewenst, maar ik wilde me niet opdringen.'

Er was gedekt op een dakterras dat een reusachtige pergola was. Tussen pijlers en planten door gaven arcaden uitzicht op de baai, die helder te blinken lag in de paarse schemering.

Ze liet Els het menu samenstellen en nam de wijn voor haar rekening.

Els praatte honderduit. Ze was in het dorp een kroeg binnengelopen omdat er muziek gemaakt werd. De mensen waren vriendelijk, ze leerden haar lokale dansen, ze vermaakte zich. Een eind na middernacht werd ze met een motorfiets naar het hotel teruggebracht. Ze had menen te begrijpen dat er twee dagen nadien een bekend orkestje zou optreden. Ze keerde dan naar de kroeg terug, maar er viel niets te beleven. Hoop en al waren er drie klanten, die haar als een wereldwonder aangaapten. De waard bracht haar een glas wijn en kwam bij haar zitten. 'Drink op mijn kosten' zei hij in moeizaam Engels. 'Ik herken u, u bent hier twee dagen geleden geweest. Ik offreer u een glas opdat u niet zoudt denken dat ik boos op u ben.'

'Waarom zou ik moeten denken dat u boos bent?'

'Omdat ik u zal vragen hier niet meer te komen. U trekt grote ogen. Ik zal uitleggen waarom. In uw land wordt het aanvaard dat een vrouw die niet vergezeld is van haar man of van haar broer uitgaat en een gelegenheid als de mijne aandoet. Hier in Kreta gebeurt dat niet. En de mannen willen niet dat het gebeurt. Als ze u zo vrij zien lopen waar u wilt, vrezen ze dat hun vrouwen en hun meisjes u zullen willen navolgen. En dat zou een massa herrie teweeg brengen. Er zijn reeds spanningen omdat de meisjes niet meer willen gekleed gaan zoals hun moeders en hun grootmoeders, helemaal in het zwart en met een zwarte sjaal om het hoofd. Stel u voor wat het zou worden als ze er zoals u op uit trokken.'

'Ik begrijp er niets van. Verleden keer waren ze allen heel vriendelijk met mij.'

'Dat waren ze. U viel in hun smaak. Maar nadien begonnen ze na te denken, en ze praatten erover. Wat ze zegden zou u niet graag horen. Mijn kafeneion heeft een goede faam. Ik wil die faam behouden.'

'Duidelijk Moorse invloed' bracht Louisa in het midden. 'De Turken zijn eeuwen lang op die eilanden de baas geweest.'

Gedurende de hele maaltijd konden ze het voorval kommentariëren. Els liet zich als fijngevoelig kennen.

'Wij komen hier, toeristen met centen en we gedragen ons alsof we hier heer en meester waren. We lopen in badpak of in slipje door de straten, en we geven er ons geen rekenschap van dat we de mensen schokken en onrust in de gezinnen zaaien.'

Een vraag lag op Louisa's lippen: ben je gelovig?

Het respekt voor het gezin was in haar gedachten van het moment verbonden met een geloofsovertuiging. Het was een onverantwoorde bedenking, ze zag het dadelijk in en ze bedwong haar nieuwsgierigheid. Het was nog te vroeg om dit aan te raken.

Ze daalden de trappen af, die naar de tuin leidden. Een grote oranje maan hing laag boven de heuvels, krekels sjirpten, de zee murmelde tussen de rotsen bezijden de baai, een briesje trilde in de waaiers van de palmbomen.

'Willen we wat blijven zitten' vroeg Els. 'Niet praten, enkel maar kijken. Het is een mooie nacht. Alle nachten zijn hier mooi.'

Gevoelige ziel, dacht Louisa weer. Ze begon meer en meer van de Hollandse te houden. Ze dacht aan Ann. Was het denkbaar dat haar dochter er genoegen in zou vinden stilzwijgend naast haar in het donker te zitten? Ze kon het zich niet voorstellen. Ann had niet genoeg geleden. Dit was duidelijk: Els droeg een kwetsuur in zich. Ze verborg ze, ze stelde zich als opgeruimd aan, maar het bloedde in haar.

Els was het, die de stilte verbrak.

'Weet je waarin ik nu zin heb?' Om in zee te zwemmen. Avond na avond heb ik daar zin in gehad, maar er was nooit iemand om op mij te wachten. Wil jij het doen? Of zullen we samen zwemmen?'

'Ik zal op je wachten.'

Els rende meteen weg. Het klepperen van haar sandalen op het betegelde pad hield op als ze een grasveld doorkruiste, was zwakker weer hoorbaar als ze voorbij het grasveld over het terras liep.

Ze wil dat er iemand op haar wacht, dacht Louisa verward. Ik vervul een rol in haar bestaan. Ze klampt zich aan mij vast. Vreemd. Geen enkele van mijn kinderen klampt zich zo aan mij vast. Iets tragisch is in haar leven voorgevallen. Ze lijdt, zoals ik lijd. Misschien voelt ze het van mij aan, al heb ik er met geen woord over gerept. Els was er terug, een badhanddoek onder de oksels geknoopt. Eronder droeg ze enkel een minuskuul broekje. Ze wierp zich in het water. Op de maanbeschenen zee dreef ze weg, een wig in de lichtrimpeling die kleiner en kleiner werd en ten slotte onzichtbaar werd. Louisa liep tot aan de waterlijn en tuurde in de leegte van de zee. Haar hart klopte in haar keel. Ze had die nachtelijke zwempartij moeten beletten. Een woord had volstaan, ze wist het zeker. De plezierboot lag op de horizon, alle lichten gedoofd, een hoekige zwarte massa op de tinnen vlakte. Er was meer branding dan overdag. Op de klippen links en rechts zoog en kolkte en murmelde het onophoudelijk. In de verte meende ze schuimkoppen te ontwaren. Ineens stak een windstoot op, die haar jurk tegen haar lichaam drukte en haar lange rok aan het fladderen bracht. De cypressen bij de bungalow's bogen door en er was gedruis in de olijfbomen achter haar. Lanspuntige bladjes zwierden zeewaarts. In de opkomende storm stond ze kou te vatten, wachtend op een vreemd kind, dat het in zijn hoofd had gekregen op haar eentje in zee te gaan zwemmen. Ze voelde zich potsierlijk. Angst maakte zich van haar meester.

Twintig minuten, misschien meer, waren verstreken sedert Els uit het gezicht verdwenen was.

'Els,' zei ze voor zich uit. 'Kom terug, kom om Godswil terug.' Na een poos riep ze uit alle macht, in twee tonen: 'E-els.' De wind rukte de klanken van haar lippen weg.

'Hier ben ik.'

Ze stond achter haar, glanzend in het maanlicht, de haren druipend.

'Waar kom je vandaan?'

'Ik ben opzij aan land gekomen, aan de aanlegplaats van de zeilbootjes.'

Met de badhanddoek, die ze de hele tijd bij zich gehouden had, wreef ze duchtig over het jonge lichaam.

'Het is niet om te doen, zo in het duister in zee te zwemmen. Als je in moeilijkheden verkeert, kan niemand je helpen.'

Els liet een klare lach horen, die geforceerd aandeed.

'Ik heb heel ver gezwommen, tot het eind voorbij de boot. Ik dacht niet aan terugkeren. Ik heb mezelf geweld moeten aandoen om terug te keren. Het was heerlijk.'

Ze antwoordde niet. Mogelijks hadden zelfmoordgedachten Els beroerd. Best er niet op in te gaan. Best ze niet au sérieux te nemen.

'Nu vlug naar bed. Of drinken we nog een likeurtje? Er zijn allerlei drankjes in de koelkast op mijn kamer.'

'Laten we hier nog wat blijven. Ik weet een plekje, waar we tegen de wind afgeschermd zijn.'

Ongegeneerd trok ze haar broekje uit, wrong er een straaltje water uit, trok het weer aan en sloeg de badhanddoek om haar midden.

Ze gingen zitten op een stenen bank tegen de muur van het grillhuisje. Boven hun hoofd hield de wind huis in een eucalyptusboom. Els leunde tegen haar aan, lichtjes huiverend.

'Sla de doek om je schouders,' zei Louisa.

Els lachte haar geforceerde lach maar liet het bovenlichaam naakt.

Louisa dacht: ik zou mijn armen om haar heen kunnen slaan. Ik zou het graag doen, maar ze zou het verkeerd kunnen uitleggen. Ze zou me neigingen kunnen toedenken, die ik niet heb. Die ik niet wil hebben.

Ze zat stijf rechtop, zich beheersend, voelend hoe schroeiend in haar binnenste een gevoel ontwaakte waarvan ze schrik had.

'Els, je handelt niet verstandig. We handelen niet verstandig.'

Een lach rinkelde. Dan kwam de provocerende vraag: 'Hoeft dat?'

Hoeft men altijd verstandig te handelen? Volgens de regels, die de maatschappij oplegt. De regels, die de gezondheid beschermen, de families in stand houden, de vermogens beveiligen, de toekomst van de kinderen waarborgen. Waarom nooit uit de band springen, het allemaal aan zijn laarzen lappen, op een dwaze inval ingaan, een moment volkomen vrij zijn, en bereid achteraf de prijs te betalen?

'Neen' zei ze. 'Het hoeft niet altijd.'

Nu was het Els die deed wat ze zelf niet gedurfd had. Vochtige armen lagen om haar hals, een zoen verpletterde haar lippen. Ze voelde zich inpalmen. Haar handen, die aan haar kontrole ontsnapten, streelden langzaam, voelden schouderbladen, ruggewervels, heupbeenderen.

Met een ruk maakte Els zich los.

'Een zus van mij heeft zelfmoord gepleegd. Vandaag is het twee maand geleden.'

Na een poos vervolgde ze.

'Ik vertel er morgen misschien meer over. Nu niet. Het zou je de slaap beletten. Ik ben er voortdurend mee bezig. Ik moet er daarom anderen niet mee lastig vallen.'

Een man en een vrouw daalden de trappen af naar het strand en bleven hand in hand aan de waterlijn staan. De wijde rok van de vrouw wapperde in de wind. Ze waren wegens de afstand niet te herkennen, maar ze twijfelde niet. Het was de man met het geschonden gezicht en zijn heel mooie vrouw. Op dit moment had ze hen liever niet in haar blikveld gehad. Hun aanwezigheid, hoe verwijderd ook, stoorde haar. Ze had iets belangrijks in haar gedachten, ze was het even kwijt en ze had moeite om de draad terug te vinden.

Dan was ze er plots. Ze greep de hand van haar gezellin, ze wist niet wie van beiden het hardst beefde.

'Els, zeg me eerlijk... Als je daarnet zo ver gezwommen hebt, was het... was het met de bedoeling... niet terug te keren? Had je dezelfde bedoelingen als je zus?'

'Misschien... Ik ben het niet zeker... Ik had je namelijk

gevraagd om op mij te wachten. Maar we praten er niet meer over."

Zonder een woord liepen ze naar hun kamers. Zij moest een verdieping hoger. In de liftkooi namen ze afscheid met een emotieloos 'wel te rusten.'

3

Ze schoot herhaaldelijk wakker, die nacht. Ergens in het gebouw was er bij pozen geloei van wind. Het was alsof een luchtstroom zich tussen tralies door een weg baande en wentelend in een reusachtige blaaspijp drong, die een angstwekkend geluid voortbracht. Dan viel het haar te binnen dat haar kamer vlak naast de liftkoker lag en dat het geluid daar vandaan moest komen.

Bij elk helder moment zei ze tot zichzelf: ik mag er niet op ingaan, het is een afwijking, het is ziekelijk. Het hielp niet. Keer op keer gleed ze weg in dromen, waarin ze zichzelf zag lopen met steeds Els naast zich, die enkel dat onooglijke slipje droeg. Ze waren in de schouwburg het mikpunt van vijandige blikken. Een rood aangelopen man stond voor de mikrofoon driftig te gestikuleren. Uit zijgangen doken politieagenten op. Even later waren ze door donkere straten onder een stortregen op de vlucht. Een van haar hoge hakken bleef steken in een kelderrooster en ze viel languit. Els hielp haar overeind. Ze zei dat ze haar schoenen moest achterlaten. Zelf liep ze heel makkelijk blootvoets. Dan zat ze thuis aan de tafel met hem en de kinderen. Els was in de kamer aanwezig, een stoel was leeg, het was haar stoel. Iedereen ignoreerde haar. Ze zat ineengedrongen in de grote bergère-fauteuil, ze deed haar best om zich klein te maken. Tot een nietig wezentje was ze verschrompeld. Hij zat plechtig breeduit vlees te snijden. Dat was zijn taak aan tafel, de taak van de pater familias. Een snede voor Ann, een snede voor Geert, een snede voor Treesje, een snede voor moeder de vrouw. En het hoerejong, moet het hoerejong ook te eten krijgen?

De dageraad stond oranjeroze op het overgordijn. Ze trok het opzij, deed de deur open, stond op het balkonnetje en ademde diep. Onzichtbaar achter bergkammen kleurde de zon de hemel helder en legde vuurranden onderaan de schaapswolkjes.

Ik moet het uit mijn hoofd zetten, dacht ze.

Zodra ze terug in de zwoelte van de kamer trad, stonden de droombeelden weer om haar heen. Het was vier uur dertig. Ze strekte zich uit en trok het laken over zich heen.

Ik zou aan iets goeds moeten denken, overwoog ze, iets vreugdigs, een mooie herinnering, een zuivere herinnering. Niets kwam haar voor de geest. Had ze zuivere herinneringen?

Ann, Geert, Treesje, denken jullie aan mij? Jullie zijn kinderen met de onverschilligheid over zich van bijna volwassenen. Bijna volwassenen, dat waren ze. Betweterig, zoveel mogelijk ontsnappend aan haar zorgen, op een haast agressieve manier te kennen gevend dat ze een eigen weg wilden gaan, waar zij geen kijk op hoefde te hebben. De eigen weg van Ann, de donkere jeugdkroegjes, de danspartijtjes, om de maand een andere vriend voor het geknuffel in de auto als ze 's nachts teruggebracht werd. Waar leidde die weg heen? Ze kon er nu plots angstig om worden. Toen niet. Toen dacht ze: ik faut que jeunesse passe. Toen dacht ze: hij buldert ze het huis uit. Hij houdt de teugels al te strak. Ze zullen breken. Dan valt ze in mijn armen. Ik zal haar hart voelen kloppen. Maar wat als Ann in een verbitterde bui de hele familie de rug toekeerde? Wat als ze ook haar afschreef en onderdook in de vieze wereld, die haar aantrok? Of erger: als ze deed wat die zus van Els gedaan had? En wat ook Els bij pozen in de zin had? Wat was er met die generatie aan de hand?

Gebons op de kamerdeur rukte haar uit een diepe slaap. Zich in de ogen wrijvend ging ze open doen. Daar stond Els met op een serveerblad een kompleet ontbijt.

'Ik dacht het al. Je bent vergeten dat we ingeschreven zijn voor een busreis naar Faistos. Over een half uur vertrekken we. Om tijd te winnen heb ik het ontbijt voor ons beidjes meegebracht.'

Ze plaatste het zware blad op het lage tafeltje.

'Lekker geslapen?'

Ze knikte en schoof stoelen bij.

Terwijl Els een sinaasappel schilde, ging ze voor de spiegel van het wasstel haar haar schikken. Boven haar linker slaap was een licht paarse zwelling merkbaar, waar ze zich aan de aanwas van de olijftak bezeerd had. Als ze erop drukte voelde ze geen pijn. Ze schoof er een haarlok voor. Els hoefde niet te zien. Els hoefde ook de andere kwetsuren niet te zien.

De koffie geurde. Els zette gretige tanden in een overvloedig met boter bestreken broodje. Een andere Els dan de vorige avond. Mooie kastanjebruine ogen, die haar onbevangen aankeken. Trouwe ogen. Die ogen hadden haar meteen bekoord toen ze een eerste maal samen onder de stranddouche stonden. Ze maakten haar biezonder innemend. Dat de geblokte bouw van het lichaam niet bepaald bevallig was, verloor je erbij uit het oog. Was Ann minder elegant uitgevallen en had ze evenveel ziel in haar ogen, ze zou zich gelukkig kunnen prijzen. Een dwaze inval, ze glimlachte erbij.

'We moeten voortmaken,' zei Els en schoof haar een besmeerd broodje toe. 'Neem ook wat jam. Hij is heel lekker.'

Ze at. Het was prettig zo met zijn tweeën te zitten ontbijten. Twee vrouwen, die een paar honderd kilometer van elkaar verwijderd woonden, en die ver van huis elkaar toevallig ontmoet hadden, troffen het met elkaar. Het mocht uren duren. Er was niets ziekelijks mee gemoeid, ze had zich wat ingebeeld. Zoals Els daar zat in een groen en wit gestreept jurkje, blijkbaar met niets anders begaan dat met het bevredigen van haar gezonde eetlust, was het haast een belediging haar van onbekenbare bedoelingen te verdenken.

Ze schonk koffie in voor allebei. Aan de mollige hand van Els prijkte een zilveren ringetje met een grote paarse steen. Een goedkoop namaakjuweel, maar fraai van vorm. Ze wist niet waarom het haar ontroerde. Ze voelde haar blik wazig worden en het verlangen kwam aanzetten om te doen wat in haar macht lag om dit vreemde kind gelukkig te maken. Niet toevallig waren ze op elkaars weg geplaatst. Er was een raadselachtige voorbeschikking mee gemoeid.

Els was met haar ontbijt klaar en begon op te ruimen. Ze liet zich niet drijven op ijl gedroom.

'Opschieten. We hebben geen tijd te verliezen. 's Middags houden we halt in Matara, een biezonder plaatsje aan de zuidkust. Neem een zwempak mee. Ik heb een handdoek. Die kan voor allebei dienen.'

De zakelijke aanpak bracht haar in de war. In een oogwenk was afgeruimd, het serveerblad met het eetgerei in de gang neergezet, in de hangkast een jurk voor haar gekozen, een badpak in een tas gestopt. Onderwijl stond ze in beha en slipje haar toilet te maken. Nooit was een van haar dochters haar zo behulpzaam geweest. Zo opdringerig behulpzaam. Ze werd niet graag op stang gejaagd. Het was iets wat haar van in het begin van haar huwelijk had tegengestaan : zijn op de zenuwen werkende haast om de dagelijkse dingen af te doen. Alsof hij haar voortdurend op haar nummer moest zetten.

Bij Els ging de haastige bereddering niet met boos humeur gepaard. Ze stond te glimlachen, haar tas aan de arm, de kamersleutel wentelend om haar wijsvinger. Amper had ze de jurk om en was ze in haar sandalen gestapt, of ze sleurde haar bij de arm de kamer uit. De bus stond te daveren op de oprit van het hotel. Zodra ze ingestapt waren haalde de chauffeur de versnellingshendel over en nam traag de bocht om het bloemperkje heen, waarrond de oprit zich splitste. Er werd halt gehouden aan verschillende hotels om andere ingeschrevenen voor de exkursie te laten instappen. Telkens was er gestommel en klonken er uitroepen van lieden die toevallig bekenden ontmoetten. Lang niet elke vakantiekledij getuigt van goede smaak. Die van sommige Engelsen en Nederlandse dames op leeftijd was ronduit bedenkelijk. Het lag op Louisa's lippen een opmerking daarover te maken, maar Els zat voor zich uit te kijken met star geopende ogen die niet zagen. Vreemd hoe triestigheid haar plots kon overvallen. Je vergat er de mensen bij, die je omgaven. Je vergat er de eigen bekommernissen bij. Ze reden de brede weg op naar Heracleion tussen rijen oleanders in roze en witte bloei. Af en toe een groepje cypressen gaf een prettig ritme aan het landschap. En steeds weer klimmen en dalen, blauwe bergen in de verte, Byzantijnse kerkjes, die te groot leken voor het handvol huisjes, dat errond geschaard was.

Ze legde haar hand op die van haar gezellin. Even wendde Els het hoofd in haar richting, keek haar vluchtig aan, keek dan weer van haar weg.

'Er is iets wat je drukt, Els. Als het je kan helpen, vertel het me. Ik dring niet aan, weet je. Als je het liever voor je zelf houdt, blijf dan rustig zwijgen tot het overgaat. Kijk door het raam. Het landschap is in het binnenland biezonder mooi. Mooier dan aan de kust, waar zoveel onafgewerkte gebouwen ontsieren.'

'Ik was van zin het je te vertellen. Ik zal het ook doen. Maar het valt me moeilijk. Ik beleef het allemaal opnieuw.'

'Je zus. Ze laat je niet los.'

'Natuurlijk is het mijn zus.'

De bus zwoegde een steile helling op. Het was heet geworden en het rook naar zonneolie en naar zweet. De gesprekken waren stil gevallen. De weg kronkelde langs een ravijn.

Els vertelde, hortend eerst, en na een poos met jachtige emotie.

'Ze was negentien toen ze het deed. En mooi, heel wat mooier dan ik. Ze moet er weken lang mee rondgelopen hebben. Misschien zelfs maanden. De uren van de treinen had ze in haar zakboekje genoteerd. Ze had uitgerekend hoeveel minuten er verstreken sedert het vertrek van de trein uit het station en het voorbijrijden op de plaats die ze uitgekozen had. Ook die berekeningen hebben we in haar zakboekje gevonden. Het is een eenzame plaats met wat dennebosjes en veel varens. Even buiten de stad heeft ze haar fiets in een gracht gegooid. Eerst een week nadien werd hij in het riet ontdekt. Haar kleren trok ze uit en verborg ze onder varens. Helemaal naakt moet ze nog tweehonderd meter ver gelopen zijn. Het was nacht, en, zoals ik zei, het is een eenzame plaats. Ze heeft gedaan wat ze kon om niet geïdentificeerd te worden. Dan heeft ze zich onder de trein geworpen. Ze werd helemaal vermorzeld, enkel nog te herkennen aan de voeten. Ze had namelijk een teen aan haar linker voet, die schuin over een andere teen gegroeid was. Ze was daarvoor geopereerd geworden, maar het had niet gebaat.'

Louisa voelde dat de geschiedenis haar later meer zou aangrijpen dan op dit moment. Nu was ze vooral nieuwsgierig, ze wilde détails, ze wilde een verklaring.

'Hoe is het mogelijk, een mooi gezond meisje, dat alles te verwachten had!'

'Gezond was ze misschien niet.'

'Je moet niet noodzakelijk aan afwijkingen denken omdat ze het deed. Het is zelfs gevaarlijk het zo te zien. Vermits ze je zuster is zou je kunnen denken dat je voorbestemd bent om het ook te doen.'

Na een poos vervolgde ze:

'Ik heb de indruk dat het gevaar heel reëel is. Gisteren avond...'

Een vochtige blik van Els onderbrak haar. Ze was te ver gegaan. Ze had zich aangesteld als iemand, die tot taak had Els tegen zichzelf te beschermen. Die taak had ze, ze was er zich sedert de avond te voren van bewust, ze was haar door een onbegrijpelijke voorbeschikking toebedeeld. Later zou ze daarover piekeren. Nu had ze er de tijd niet voor. Ze moest doen wat haar plicht was, voorzichtig, taktvol, zonder moederlijke betutteling, er vooral op wakend niet te kwetsen, niet te vernederen.

Els, voor zich uit starend, verduidelijkte.

'Als ik zeg dat ze niet gezond was, bedoel ik niet dat ze geestesziek was. Moeder zou het misschien zo zien. Moeder had steeds het woord simuleren in de mond. Ze is dokter-psychiater, moet je weten. Maar ik ben er zeker van dat Truus niet simuleerde als ze dag in dag uit over barstende hoofdpijn kloeg. Toen ze vijf of zes was is er iets met haar hoofd gebeurd, in een speeltuin kreeg ze er een zwaaiende schommel tegen. Ik wijt die voortdurende hoofdpijn daaraan. Vader en moeder namen het niet aan. Radiografie en elektroencefalogram lieten geen afwijking zien. Ze scholden op Truus, ze overdonderden haar. Ze studeerde met natte doeken om haar voorhoofd. De middelbare haalde ze met een behoorlijk resultaat, dank zij een haast ascetische levenswijze. Nooit er eens uit met vrienden. Tennisspelen kon ze niet, ze zag altijd twee ballen op zich afkomen. Als we op wandel waren, wilde ze naar huis om op haar bed te gaan liggen. Enkel daar met een paar aspirienen voelde ze zich goed. Dan kwam de universiteit. Ze koos geschiedenis, ze dacht: het is de minst zware studie. Maar de berg leerstof bracht haar tot wanhoop. Maar dit is nog niet alles, er kwam iets ergs bij.'

De bus hield stil bij de ruïnes van Gortis.

'Er is een klein amfiteater te bezichten' zei de jonge vrouw die als gids was aangesteld. Ze sprak behoorlijk Frans en even behoorlijk Engels. 'Amfiteaters vind je zowat overal in Griekenland. Het merkwaardige is dat hier de tafels bewaard worden met de oudste gekende Griekse inskripties. Ze zijn ondergebracht in een speciaal daarvoor opgericht gebouwtje nabij het teater. Het zijn de wetten van de vroegste polis.'

Ze volgden de gids en de kudde toeristen. Het was even een verstrooiing van wat haar bezig hield. Steenbrokken, fundamenten, zuilfragmenten, het is overal nagenoeg hetzelfde. Men loopt gidsen achterna om te kunnen vertellen dat men er geweest is en om eigen gemaakte kiekjes te laten zien. Ze had moeite om belangstelling te tonen voor de uitleg van de beminnelijke gids.

Ze kwamen in de schaduw van het gebouwtje met de beroemde tafels.

'Inderdaad merkwaardig' zei Els. Ze wees hoe de tekst op de bovenste regel van links naar rechts liep, en op de tweede regel van rechts naar links.

Als klassieke filologe zou het me moeten interesseren overwoog Louisa. Maar het raakt me niet.

'Die schrijfwijze schijnt logisch' zei Els. 'Je hoeft niet bij het eind van elke regel de blik van rechts naar links te wenden om verder te lezen. Je kunt je afvragen waarom ze naderhand die schrijfwijze verlaten hebben.'

Interessante vraag voor wie geen zorgen heeft. Maar ik heb zorgen. Els heeft me niet alles verteld. Haar verhaal heeft een vervolg. Ze zal het me misschien niet willen meedelen. Misschien zijn er raakpunten met mijn geschiedenis. Zoveel variaties zijn er in een mensenleven niet. Opgroeien, leren, trouwen, kinderen krijgen, oud worden, het is voor iedereen hetzelfde. Maar men slaagt of men slaagt niet, daar komt het op aan. Ik ben niet geslaagd. Ook de ouders van Els zijn niet geslaagd. Dat is de overeenkomst. Alleen zijn de gevolgen daar tragisch. Hoe zijn die ouders het te boven gekomen? Hoe zou ik het te boven komen?

De klik van een fototoestel onderbrak haar gemijmer. Els had haar gekiekt.

'Je stond zo leuk te dromen. Net of je je zocht voor te stellen wat er hier tweeduizend jaar geleden gebeurd is.'

Innemend kind. Maar hoe vlug wisselden haar stemmingen. Hetgeen er met haar zus gebeurde leek helemaal uit haar gedachten gebannen. Het vervolg waar ik naar uitkijk, zal ik niet vernemen. Ze heeft verteld wat haar op het hart lag. Ze is bevrijd. Ik mag er haar niet weer in onderdompelen. Ze moet bevrijd blijven.

'We rijden door de Messaravlakte' zei de gids toen ze weer in de bus zaten. 'Messara betekent: tussen de bergen. Het is de vruchtbaarste vlakte van het eiland, en dat is te danken aan de bergen die de regen tegenhouden, en ervoor zorgen dat er het hele jaar door voldoende water naar de vallei vloeit.'

Tweede oponthoud, Faistos, het reisdoel. Ze was er met hem geweest drie jaar geleden. Ze waren erdoor gehold. De majestatische trappen, de manshoge aarden kruiken met abstrakte siermotieven, ze zou het nu rustig kunnen opnemen. En ook het groene vergezicht, de bergen. De gids had op een verhevenheid plaats genomen en verzamelde de toeristen om zich heen.

'Daar heb je de voorraadkamers voor de bevolking van het paleis, daar de vertrekken van de koningin, daar die van de koning. Hieronder zijn er afzonderlijke voorraadkamers, die met biezondere voorzorgen tegen diefstal beschermd zijn. Volgens de meest waarschijnlijke hypothese was Faistos vazaal van Knossos. Men was dus aan Knossos schatplichtig. Daarvoor zouden die speciale voorraadkamers gediend hebben. De lokale bewoners moesten er af blijven.'

'Dat heb ik nog nergens in de reisgidsen gelezen' zei Els.

'Speciale voorraadkamers voor de schatting die aan Knossos verschuldigd was. Weet je hoe die mensen gekleed gingen? Je kunt het zien in het museum van Heracleon. De mannen droegen enkel een lendenschortje dat luxueus versierd was. De vrouwen waren in lange jurken gehuld, maar hun borsten lieten ze bloot. De tepels werden met goud beschilderd.'

Ze is helemaal aan de toeristische wetenswaardigheden toe. Ik mag het opgeven meer aan de weet te komen. Wat was het erge dat de laatste stoot toebracht die Truus tot zelfmoord dreef?

Ze trachtte zich die Truus voor te stellen. Negentien en mooi, had Els gezegd. Mooi als Ann. En gedreven zoals Ann. Ik wil Ann begrijpen, achterhalen wat haar drijft naar de donkere kroegjes en van de ene vriend naar de andere. Iets wat ik niet ken en niet wil kennen. Omdat ik te trots ben, te zelfingenomen, te onverdraagzaam. En bij haar vader moest ze zeker geen begrip zoeken. Voor hem telt slechts hetgeen materiële resultaten oplevert, dingen die je kunt tonen, het huis van zijn schoonouders, de te grote luchter, de zaak die hij uit de as had doen verrijzen, zijn nieuwe zaken, de fabrikatie van onderdelen voor rekkenbouw met haken, schroeven, spillen en wat al meer. Ze volgde niet meer, ze was de tel kwijt geraakt. Als vlag van de zaak was ze al lang afgeschreven. Hij had andere vlaggen, bijdehandse sekretaressen, pientere telefonisten, stapels reklamefolders. Nu was hij op het punt een failliet konfektieatelier uit Brussel aan te kopen en naar de streek over te hevelen. Een zaak voor Ann als ze het licentiaat toegepaste ekonomie had behaald.

Ze zat in de bus naast Els, die weer in de doolhof van haar droefgeestig gemijmer vertoefde. Het kind had beter kunnen treffen als het nodig opgemonterd moest worden. Achter hun rug was in het Duits een diskussie aan de gang over het plaatsen van middellangeafstandsraketten op het Europese kontinent. Over onze hoofden heen wordt daarover beslist. Tegen de dreiging, die op onze gewesten gericht is, moeten wij een andere dreiging opstellen, willen we niet op stel en sprong onder de voet gelopen worden en opgescheept met een régime, waarvoor al wie kan op de vlucht slaat. Het ontzaglijke gevaar, waaraan we niet durven te denken. We hebben genoeg aan de zorg om de mensen die ons nabij staan. Ann, Geert, Treesje, en nu ook Els. Die levensvlammetjes willen we tussen onze handpalmen beschutten terwijl hooggeplaatsten een slachting van miljoenen beramen.

'In Matala blijven we drie uur' zei de gids door de boordmikrofoon. 'U kunt er baden als u het nodige bij hebt. U kunt er ook lunchen. Er zijn goedkope eethuisjes.'

'Eerst zwemmen' zei Els. 'Daarna eten we wat ergens op een terras.'

Ze plonsden wat in water dat ongeveer de lichaamstemperatuur had. In badpak gingen ze zitten onder een luifel van druivenbladeren, die door ongelijke stammetjes geschraagd was en bestelden omelet met Griekse sla en een fles retsina. Wijn en glazen werden meteen gebracht.

Ze dronken elkaar toe, een gewoontegebaar, waarbij je vriendelijk glimlachend knikt zonder er iets bij te denken. Maar iets vreemds ging bij Louisa om. Het gewoontegebaar deed geforceerd aan.

Net alsof ik iets tegen haar heb, dacht ze. Deze morgen was het prettig samen te ontbijten hoewel het haastig moest gebeuren. Nu hebben we een zee van tijd en ik voel me onbehaaglijk, alsof Els me te kort gedaan heeft. Onzin natuurlijk. Het ligt aan mijn kwetsbaarheid, die in die paar dagen vakantie nog niet genezen is. Er is meer voor nodig, meer tijd, meer mensen. Ik mag het haar niet kwalijk nemen dat ze geen open boek voor mij is, dat meteen al zijn geheimen prijsgeeft. Het is ten andere dwaas me te hechten aan dit vreemde kind, dat mijn dochter had kunnen zijn en dat voortdurend met zwarte gedachten te worstelen heeft. Ik heb mijn eigen problemen, mijn kwetsuren, mijn angst. Angst belet me het hier prettig te vinden, angst waarvan ik de oorzaak zou kunnen achterhalen als ik het echt wilde. Ik weiger erop in te gaan, ik moet genezen, over drie weken wachten me God weet welke beslommeringen.

Ze schonk haar glas vol, dronk, sloot de ogen, keek tussen haar wimpers door naar de verte, naar de diep blauwe zee, die te trillen lag als de vlerken van miljoenen libellen. Net in het midden van haar blikveld rees een rotseilandje dat als een rosse ijsberg te drijven leek. Was het de hitte, was het de wijn? Ze voelde zich plots doodmoe en moedeloos.

Een slonzige vrouw met een zwarte doek om het hoofd zette een mandje dikke sneden grauw brood op de tafel. Els nam een snede, brak er stukjes van en stak ze achteloos in de mond.

'Niets doen kan zalig zijn' zei Louisa voor zich uit, 'als je je om niets te bekommeren hebt. Maar wie is de gelukkige die geen kommer kent. Kleine kinderen misschien, dat denken we toch. Maar wat weten we over hetgeen er bij kinderen omgaat? Het ligt zo ver achter ons. Bij mij althans.'

De Griekse sla werd gebracht, een glazen kom met een pièce-montée van gekarteld groen, tomaten en augurkenschijfjes. Uit de borden waarop de eierkoeken lagen, steeg een bijtende specerijengeur.

Ze aten zwijgend. Onder de loden zon leek het plaatsje uitgestorven. De stilte was zo volkomen dat het krassen van vork en mes op het bord pijn aan het oor deed. Waar waren de medereizigers gebleven? Gevlucht voor het geweld van de zon, ondergedoken in de lage huisjes van het paar straten dat Matala rijk was?

'Ik denk aan je vraag van daarnet' zei Els. 'Of kinderen kommerloos gelukkig kunnen zijn. Het zou moeten, maar het is niet zo. Er is de school, de pesterijen van andere kinderen. Soms zijn er leraars die de gevoeligheden van de kinderen niet ontzien en achteloos vernederen. En de ouders...'

Els staarde van haar gezellin weg, naar de zee. Tot de ouders, tegen wie een onafgewerkt verwijt was gericht, behoorde ook Louisa. Al had ze nog met geen woord over haar familie gerept, Els wist dat ze man en kinderen had. Een en ander in haar houding en in haar manier van praten moest het verraden hebben. En ze was alleen op reis, man en kinderen waren achtergelaten. Het was niet normaal, het wees op een breuk. Als ze bij degenen die het geluk van de kinderen bederven ook de ouders rekende, dan verlangde ze een verklaring.

Ze roerde in de sla, dronk weer, kon geen hap door haar keel krijgen.

'Ouders zijn ook maar mensen' zei ze met neergeslagen ogen. 'Je bent onder de indruk van de dood van je zus. Misschien ben je onrechtvaardig.'

Een Frans echtpaar nam plaats aan het tafeltje naast het hunne, een zwaarlijvig man in oranje overhemd dat openstond op een overvloed van zwart borsthaar en een elegante ietwat jongere vrouw wier levendige groene ogen hen opnamen. Ze behoorden tot de kostgangers van het Astir-palace-hotel, met een gevoel van wrevel herkende Louisa hen. De vrouw deed in het Duits haar bestelling.

'Zijn we klaar' vroeg Els, die evenmin op het gezelschap gesteld bleek.

Louisa betaalde voor allebei, nam haar jurk onder de arm en volgde Els, die resoluut over het hete zand schreed. Waar een eenzame eucalyptusboom de zon wat filterde hielden ze halt. Els maakte van haar jurk en haar tas een hoofdsteun en strekte zich uit. Naast haar hurkte Louisa.

'We rekenen straks af. Ik moet mijn deel betalen.'

'Niet nodig. Ik heb graag getrakteerd.'

Els ademde diep, zweetdruppeltjes op de bovenlip.

'Misschien verwachten wij teveel van onze ouders. Maar als ze met elkaar niet kunnen opschieten moeten ze zorgen dat ze geen kinderen krijgen. Er zijn middelen.'

'Het is allemaal niet zo eenvoudig. Als je getrouwd bent zul je het beseffen.'

'Ik trouw nooit. Ik heb thuis gezien wat het is. Ik zal nooit iemand genoeg kunnen betrouwen.'

De uitroep moest haar schokken. Ze verbaasde zich erover dat ze er onberoerd bij blijven kon. De schok zou later komen, hij zou haar ondersteboven gooien, ze voorzag de ravage, ze vreesde ze, maar ze verdrong vooruitzicht en vrees, ze schermde haar relatieve gemoedsrust af tegen de aanranding. Ze had een alibi, een voorwendsel, ze moest beschikbaar zijn voor dit bedreigde kind.

'De wonde is nog niet geheeld, meisje. Je zoekt schuldigen en je ouders zijn de eersten die je viseert. Misschien stonden ze machteloos tegen wat er met je zus gebeurde. Ik weet erover te praten. Ik heb ook kinderen. Ik heb ze niet in de hand. Ik zou alles voor ze willen doen, geloof me.'

'Jij bent een ander type dan mijn moeder. Jou zou ik nooit schuldig kunnen achten.'

Louisa voelde gloei naar haar gezicht stijgen. Was het de hitte, was het de wijn? Alles duizelde, het witgloeiende zand, de schrale boompjes, de trillende zee, de rotswanden. Ze greep de hand van Els, stak haar vingers tussen die van haar, drukte erop, wenste dat er een kracht van tederheid door de verstrengelde vingers heen van haar zou uitgaan naar die verziekte ziel.

'Zo heeft zich mijn moeder nooit om mij bekommerd.'

Louisa dacht: in jaren ben ik nooit zo dicht bij een van mijn kinderen geweest.

'Mijn moeder is een harde vrouw' zei Els. 'Zij is arts, doet aan psychoanalyse, volgt kongressen. Voor het ogenblik is ze voor zo'n kongres in Geneve. Je zou denken dat haar vak haar biezonder in staat zou stellen om de moeilijkheden van Truus te begrijpen. Maar neen, ze schoof dat van zich af, het hinderde haar, ze had haar patiënten, haar voordrachten, haar vaktijdschriften. Ze had geen tijd voor die flauwekul. Ze eiste veel van zichzelf ze kon niet dulden dat Truus er zich niet door sloeg. Er was niets dat haar mankeerde, radiografie en elektroencefalogram waren normaal. Inbeelding dus die koppijn en die moedeloosheid.'

'En je vader?'

'Mijn vader heeft een andere vrouw, jaren reeds. Tot begin dit jaar woonde hij bij ons in. Moeder dacht dat het een voorbijgaande bevlieging zou zijn. Ze kon zich niet voorstellen dat hij haar zou prijsgeven voor een vrouwtje dat niet gestudeerd had. Ze slaat intellektuele bagage hoog aan. Maar ten slotte stelde ze hem voor de keus, zij of die andere. Niet allebei tegelijk, dat stond niet netjes, het vernederde haar. Vader koos die andere. Ik begrijp het, hij is een levensgenieter. Een goed huisarts bovendien, die meer geneest met gezellige praatjes dan met medicijnen. Zijn praktijk is toegenomen sedert hij van ons weg is. Maar Truus is het niet te boven gekomen. We hadden geen thuis meer. Stel je een altijd gejaagde moeder voor, die de gewone dingen van het huishouden afdoet met een geprikkelde wrevel en nergens tijd voor heeft. Truus' wereld was stuk.

Ook bij vader kon ze niet terecht, want ze haatte die Miep, de vrouw met wie hij nu leeft. Ze gaf haar de schuld van alles. Het was niet redelijk maar het was haar niet uit het hoofd te praten. Weken, misschien maanden heeft ze het voorbereid, de plek uitgekozen, de enige verlaten plek van de hele omgeving, de uren van de treinen genoteerd, dan is ze met haar fiets vertrokken, ze heeft die fiets verborgen, haar kleren...'

Louisa onderbrak haar.

'Zwijg daarover, het is te vreselijk.'

Na een poos zei ze op zachte toon.

'Ze had toch jou. Ik kan me niet voorstellen dat ze aan jou geen goeie zus had.'

Els' gezicht vertrok.

'Wat is een zus? Een oudere zus nog wel, die haar eigen gangen gaat. Ik had mijn studies, klassieke talen, en ik had een vriend. Aan mij had ze niets. Bovendien, de laatste maanden was ze ontzettend gesloten, autistisch bijna. Ik was geneigd het te zien zoals moeder het zag: flauwekul. Het was een grove fout. Ik had mijn leven, ik had geen oog voor haar bedreigde leven.'

Els rukte haar hand los en verborg haar gezicht onder haar voorarm. Ze lag in haar volle lengte uitgestrekt, trillend, en zo gespannen dat het leek dat een onverhoedse aanraking of een verkeerd woord haar breken zou. Louisa voelde immens medelijden en verlammende machteloosheid. Misschien zou ze de gepaste woorden gevonden hebben, was er in haar niet iets als een alarmbelletje aan het trillen gegaan. Hetgeen ze vernomen had, zou voor haar zelf een betekenis kunnen hebben. Als ze erop inging zou de angst haar in zijn greep hebben, en die angst verdrong ze, ze moest zichzelf wegcijferen om zich te wijden aan dit smartelijke kind, dat ze graag het hare had mogen noemen om te kunnen doen wat ze hartstochtelijk verlangde en niet doen mocht: haar tegen zich aandrukken, haar eindeloos strelen, alle leed uit haar weg strelen, tot er weer een glimlach op die lippen kwam, tot dankbaarheid in de trouwe ogen blonk.

Er verstreken lange minuten. Een krekel, onzichtbaar in de eucalyptusboom, sloeg oorverdovend aan het sjirpen.

Andere krekels antwoordden. De boom was opeens vol metalliek gekrijs.

'Die vriend van je, Els, moet je een steun zijn. Schrik hem vooral niet af met blijvend getreur.'

Zonder haar aan te kijken, het gezicht nog steeds onder haar arm verborgen, antwoordde Els korzelig.

'Ik heb geen vriend meer. Ik wil er geen meer hebben.'

'Spreek niet zo radikaal. Het leven van je zus is vernietigd. Daar valt niets aan te veranderen en je hebt er geen schuld aan. Het dient tot niets ook jouw leven te verknoeien.'

Els zuchtte luidruchtig, onder haar gebogen arm schudde ze met het hoofd, haar voeten stampten in het ijle. De goed bedoelde raadgevingen werkten haar op de zenuwen. Begrijpelijk. Waar haalde Louisa het recht om te kapittelen? Als Els wist wat ze zelf van haar leven terecht had gebracht, zou ze steigeren. Droefheid overviel haar. Waartoe was ze ten slotte in staat? Zijn vraag bij elke tegenvaller, zijn bijna dagelijkse herhaalde vraag: waartoe dien je, wat kun je? Kleren verstellen gebeurt niet, en als je voor de zaak een telefoontje moet noteren loopt het in het honderd. Nu was ze van zijn neerhalende aanwezigheid bevrijd. Ze moest aan zichzelf bewijzen dat ze voor dit vreemde kind wat te betekenen had.

'Je ligt nu helemaal in de zon. Het is te heet. Laat ons wandelen langs het water. We hebben nog tijd.'

Els stond op, raapte haar boeltje samen, liep naast haar. Zachtjes zei ze.

'Ik heb toch gezegd, dat ik geen man voldoende kan vertrouwen. Me zelf trouwens evenmin. Ik mocht Dick niet aan het lijntje houden. Ik gaf hem zijn vrijheid terug. Ook mijn studies heb ik opgegeven. Ik heb er het hoofd niet naar.'

Ze liet haar spullen vallen en stortte in het water. Met nijdige halen zwemmend, stak ze in enkele tellen de andere baders voorbij. Haar rossig haar dreef ver weg, een hoopje afval uit een schip overboord gegooid, een stip die kleiner en kleiner werd en ten slotte verzwond in de verblindende rimpeling.

Ik heb haar gekrenkt, dacht Louise, ze werkt haar ergernis uit. Hoe roekeloos ver waagt ze zich. Er kunnen kolken zijn of gevaarlijke stromingen. Wat kan ik doen?

Een hoopje afval. Amper van het leven geproefd en er reeds door weerzin uit gedreven. Misschien teveel geproefd, misschien tot op de bodem doorgedrongen op een leeftijd, waarop men het nog niet verwerken kan. Met de jaren groeit een bolster om de gevoeligheden heen, een sklerose, die de diep liggende zenuwen beschermt. Zonder die bolster had ze nooit de vernederingen van dag na dag kunnen overleven. Er kwamen zwakke plekken in de pantsering, de bescherming begaf sedert ze in Elounda verbleef. In jaren was ze zo weekhartig niet geweest. Els, kom in Gods naam terug. Als je vergaat zal het ook met Ann en Treesje verkeerd eindigen. Ze legde verbanden die geen zin hadden. Wat was haar aan dit vreemde kind gelegen?

Autogetoeter sloeg barsten in de stilte. De bus stond vlakbij in de zon te schitteren met chroomrepen en weerkaatsend glas. Mensen stegen in. Waar bleef Els?

Ze sprak de gids aan, die op de trede van het voertuig stond te wenken.

'Het Hollands meisje zwemt nog ver in zee. Ze is niet meer te zien. Ik vrees...'

'Hollanders zijn waterratten. Heb geen vrees. Ik zie haar naderen. Stap ondertussen in.'

Het schrille trilgeluid van de airconditioning, de glunderende zelfgenoegzaamheid van de zwetende passagiers, hun gelach, hun gezwets, het maakte haar misselijk. De haastig aangetrokken zonnejurk zat met verkeerde plooien om haar natte lichaam.

Weer toeterde de chauffeur. Els kwam aangehold, haar bundeltje onder de ene arm, haar sandalen zwierend aan de andere hand. Zodra ze ingestapt was zette de bus aan. Ze trok haar jurk over haar badpak aan en liet zich naast Louisa neervallen.

'Je hebt je weer te ver gewaagd.'

Ze lachte.

'Er kan me niets gebeuren. Als ik lust heb om mijn leven in gevaar te brengen, komt er iets in mij los; een onzichtbare dubbelganger heft de hand op en roept me halt toe. Net als bij Socrates als hij in de verleiding kwam om iets oneerbaars te doen.'

Socrates, de oudheid, de mysteries, de akropolis van Athene, het partenon, het had haar allemaal geboeid. De mysteries vooral, Eleusis, Delfi. Toen ze Ann verwachtte had ze zich in een Duits boek over de mysteries verdiept. Ze had nota's genomen, bedenkingen neergeschreven. Ze had toen nog vaag de bedoeling te doktoreren. De Dionisische en de Apolinische elementen in de Griekse kultuur, Socrates, de Apolinische figuur bij uitstek, voor het nageslacht bewaard in de geschriften van Plato, de visionaire, intuïtieve, de kurieuze mengeling van poëzie en doorgedreven rationeel denken. Socrates, zoals hij door Julien Schoenaerts uitgebeeld werd. De akteur die geen akteur meer was maar de uit het dodenrijk opgedoken Socrates, in rafelende kleren, de bevende hand geheven. Neen, wat oneerbaar was kon Socrates van zichzelf niet gedaan krijgen, zelfs niet om zijn leven te redden. Waarom trouwens de dood vrezen? Ofwel is het een eeuwige slaap en dat is in elk geval beter dan het leven te midden van het gekonkel en geïntrigreer, dat ons voortdurend krenkt; ofwel vertoeft de geest in een tijdloze wereld en kan hij daar de grote figuren uit het verleden ontmoeten, Heraclitos, Pythagoras. Hij was niet willen meegaan naar de vertoning. Ze was ingericht door een vereniging waarvan hij geen erelid was. Na afloop dreef hij er de spot mee. Wat kon een man, die met zijn twee voeten op de grond stond in de harde wereld van vandaag aan het gezwets hebben van die eigenzinnige oude knul? Toen probeerde ze nog hem te introduceren in wat haar belangstellingssfeer was ,toen was ze nog niet van haar eigenheid ontledigd. Het jaren lange proces van aftakeling had vernietigd wat haar bezielde. Nu ze het weer tot leven kon wekken hadden beslommeringen haar in hun greep. De kinderen waren er, Ann vooral, en ook Els, en de knaging om wat stukgegaan was. Het allemaal opzij zetten, dacht ze, mij koncentreren op wat er te zien valt, het pathetische Kretenser landschap, de diepe schaduwen in de valleien waar watersproeiers zwaaien, de bergflanken, de rotspartijen, het geboomte op de hellingen door het gefloerste rood van de avondzon bevlogen. Voor een vrouw op een ezeltje moest de bus aan een bocht vertragen. Geprofileerd tegen de helle hemel, met zwarte hoofddoek en zwarte kleren tot aan de enkels, was ze een verschijning uit de oudheid. De ijverige tred waarmee het kopschuddend ezeltje de steile helling beklom, de vrouw en twee volle zakken aan zijn flanken torsend, ontroerde haar. Die ontroering zou hij nooit begrijpen.

Ik kanker maar door, dacht ze. Ik stapel de grieven op. Achter de stapel ga ik schuil. Els heeft daarmee te maken. Van haar verhaal gaat een duistere dreiging uit.

De bus daalde met pijnlijk geknars van de remmen. In de verte strekte de zee zich uit, mat glanzend tin, aan de horizon in mauve dampen wegdoezelend.

Els maakt me ziek, dacht ze. Ze is ziek en ze maakt me ziek. Ik moet me teweer stellen als ik niet door de knieën wil gaan zodra ik hem weer onder de ogen kom. Morgen breng ik de hele dag op mijn eentje door. Ik heb voor Els gedaan wat ik kon. Het was een overbodige inspanning. Ze redt zichzelf. Ze heeft die dubbelganger, die haar halt toeroept als ze een bepaalde schreef dreigt te overschrijden. Een andere dubbelganger dan die van Socrates. Die van Socrates belette hem tot lage middelen zijn toevlucht te nemen om zijn leven te redden. Die van haar verhindert haar roekeloos met het leven te spelen. Ze speelt. Ze is een kind, een aandoenlijk kind, een tussen weerzin en verwachting heen en weer geslingerd kind, een wervelloos kind, een te koesteren kind. Hoe boeit ze me, hoe grijpt ze me aan, hoe ziek maakt ze me.

Morgen een dag zonder Els.

4

Louisa had haastig ontbeten en was op stap in de richting van het dorp. De zon stond reeds hoog en strooide glinsteringen over het asfalt. Handelaars zetten met lome bewegingen hun waren buiten, korven fruit, rekken met plastic speelgoed, molens met zichtkaarten en zonnebrillen. In het haventje lagen opgetuigde schepen te wachten op vaarlustige toeristen maar de bootslui deden geen pogingen om klanten te werven. Ze stonden voor zich uit starend tegen de relingen geleund en schenen op een sein te wachten om uit hun roerloosheid te ontwaken.

Toen klonk er plots verbazend luid en galmend over het plein een plechtig gezang. Het kwam uit de koepelkerk, die vlakbij het water stond. Het deinde orgelend uit, door de kleurige geveltjes weerkaatst, van alle kanten golfde het aan. Een machtige bariton had aangeheven, een koor van diepe bassen viel in.

Ze liet zich op een bank neer. Ze had er moeten aan denken dat het zondag was en een sjaal meebrengen om haar schouders te bedekken zodat ze in die kerk binnen mocht. De openstaande deur nodigde eenieder uit. Ze had te vragen, te smeken, het was een besef dat zich los wrong en haar in verwarring bracht. Ze voelde zich opgaan in een nostalgieke smeking naar een onbereikbare vervulling. Het was een groots gevoel, het had met de eeuwigheid te maken. Al het andere, de twisten, de vernederingen, de kommer om Ann, om Els, week naar de achtergrond. Het waren onbelangrijke dingen vergeleken bij deze machtige adem, bij deze hunkering uit de diepten.

Hoe lang de ontroering haar in haar ban had wist ze niet.

Ze was er zich plots van bewust dat ze zich van haar plannen liet afleiden. Zou ze de vele uren, die zo'n oosterse dienst duurde aan de bank gekleefd blijven? Was de ontroering niet op de rekening te brengen van de weekhartigheid waartegen ze te kampen had? Onrustig was ze weer op stap. Haar vlugge tred verbrak het slepende ritme van het gezang. Ze moest eraan ontsnappen, de sluimerende angst werd erdoor aangeboord. Ze vluchtte. Ze sloeg een smal straatje in, dat uitliep op een kiezelweg die tussen olijfgaarden bergopwaarts kronkelde. Toen ze ter hoogte van het laatste huis gekomen was golfde het gezang weer aan. Een ogenblik stond ze verbijsterd. Werd ze erdoor achtervolgd? Dan merkte ze op dat het niet hetzelfde gezang was. Er was instrumentale begeleiding en in het koor hadden de vrouwenstemmen de overhand. Door een open venster speelde een radio op volle kracht. Binnenin voor een ikoon brandden kaarsen en lampjes, die het rimpelgezicht van een oude vrouw beschenen.

Ze zette haar tocht voort. Hoog boven zilvergrijze olijfbomen en sombere sintjansbroodbomen vlekten de witte huizen van een dorp. Ze had haar reisdoel in het zicht en versnelde haar pas. Plots had ze een gebeuren voor ogen, haar lippen prevelden een verhaal. In een gracht verborg ze haar fiets, liep verder tot aan een sparrebosje, trok haar jurk uit, haar onderjurk, haar beha, haar broekje, schopte de schoenen van haar voeten. Ze had nauwkeurig uitgerekend op welk moment de trein zou voorbijrijden, ze hoorde hem in de verte naderen, de rails zinderden, het zinderen werd een gillen van gemarteld metaal. Haar naaktheid strekte ze uit op het gillende staal. Het gevaarte donderde aan. Wie was ze? Ze had ze scherp geprofileerd voor ogen. Niet de onbekende Hollandse was het. Het was Ann.

Duizelend sjokte ze verder, drijfnat van de transpiratie. Ze mat de afstand naar het dorpje op de hoogte. Ze was nog lang niet halfweg. Zou ze er geraken? Ze moest, het was een pelgrimstocht. Ze zou het zichzelf niet vergeven als ze het opgaf.

Hoe heette de zus van Els? En wat had de laatste stoot gegeven naar haar zelfmoord? Els had het allemaal verteld met vlugge zinnen, iets wat ze kwijt wilde en waarvan ze nooit los zou raken. Zelfmoord van jonge mensen. Ze had erover gelezen in de krant. Verontrustende statistieken. Tastende kommentaren. In vroegere tijden sloegen bijna uitsluitend oudere mensen de hand aan zichzelf. Lieden zonder toekomst, die niet inzagen dat ze er nog ergens voor nodig waren. Nu ook tal van jeugdigen. Die het niet meer zagen zitten. Hun uitdrukking: 'ik zie het niet meer zitten'. De weke generatie die tegen de moeilijkheden opzag als tegen de Everest. En vluchtte.

Ze ging zitten op een muurtje van gestapelde stenen. Er hingen zwarte takken over van een sintjansbroodboom. Ze plukte een vrucht, een ruwe peul als van reuzegrote erwten. De vruchtzaadjes bultten er doorheen. Ze maakte de bast los, stak een zaadje in haar mond, kauwde erop. Het was bitter als een oprisping van gal. Daarmee voedde zich Sint Jan de doper in de woestijn. Je moest een gelooide lederen maag hebben om het goedje te verteren. Ze spuwde het zaadje uit. Met opzet wansmakelijk voedsel tot zich nemen, hoe konden ze het? Om zich te stalen, om moeilijkheden aan te kunnen, om niet door de knieën te gaan. Zoals de zus van Els, zoals Els zelf, weke kinderen van ouders die in hun jeugd de oorlog hadden meegemaakt. En die hun kinderen hadden ontzien. Teveel ontzien. En oude waarden hadden prijsgegeven, onthechting, zondagmis.

Els was hard voor haar ouders. Ze zou ook hard zijn voor haar als ze wist. Els aanvaardde moeilijk dat ouders ook eigen aspiraties hebben. Ze zou het haar allemaal moeten uitleggen. Ze moest Els te vriend houden. Goed zijn in haar ogen. Ontgoocheld, gekrenkt, verbitterd. Maar nog over voldoende reserves beschikkend om goed te zijn, voor Els, voor Ann, voor Geert en Treesje.

Het allemaal uitleggen zoals ze aan de advokaat had gedaan. Ze had Ann met zich meegenomen. Ann was rad ter taal en biezonder op haar vader gebeten. Ze had erop gerekend dat Ann zou helpen om de grieven op een rijtje te zetten. Maar haar eigen grieven waren het, die ze spuide, de oorvegen, de scheldwoorden, hoerejong, uitvaagsel, de bemoeizucht, het snuffelen in haar kamer, het in beslag nemen van brieven. Meester Goethals hield op met noteren, keek over zijn brilglazen heen eerst naar de moeder, dan naar de dochter, vroeg: 'Is het de moeder of de dochter die wil scheiden?' Waarop Ann uitvoer: 'Ik wil niet dat mijn moeder het nog een dag langer moet ondergaan. Ze heeft nooit een blijde dag. Ik wil het niet meer.'

De advokaat doorstond glimlachend de uitval.

'Niet jouw wil telt, meisje, maar die van je moeder. Ik wil het je moeder horen uiteenzetten.'

Ze was stuntelig aan het praten gegaan, met hiaten, door haar geheugen in de steek gelaten. Toen ze uitgepraat was leek het allemaal onbeduidend. Van het vuur van haar bitterheid bleef er een hoopje as over, dat zo weg te blazen was. Ze onderging beschaamd de sceptische blik van de advokaat.

'De kombinatie van wat moeder en dochter mij meedelen, levert een aantal beledigingen op, waarmee een grievenschrift kan opgesteld worden, dat de rechtbank wellicht zal aanvaarden. We moeten een en ander dik in de verf zetten. Zorgen jullie voor getuigen, andere dan de kinderen uiteraard. Noteer wat elke getuige bijgewoond heeft.'

Een hoopje as, zo weg te blazen. Voor een man van het vak, die met zulke zaken zijn brood verdiende, amper voldoende om met de procedure te beginnen. Hoe het aannemelijk te maken voor Els? En dan was de andere klok nog niet gehoord, die van de dynamische man, die uit het puin van het familiebedrijf onderneming na onderneming had doen rijzen.

Ze prevelde: je zult het nooit begrijpen, Els. Toch moet je me geloven, het was niet om vol te houden, ik ging kapot, ik ben kapot, ik kom het niet te boven. Ze liet zich van het muurtje glijden en hervatte de tocht bergopwaarts. Vrouwen in het zwart kwamen haar rustig keuvelend tegemoet. Smalle steegjes gaven uit op het klimmende pad. Even waren ze gevuld met gebabbel, dan was elk achter een deur verdwenen. Ze bereikte het kerkpleintje dat de hoogst gelegen plek was van het dorpje. Aan de kerk hingen de samengepakte bouwsels in een gerekte tros over de heuvelflank. Het pleintje was bijna helemaal ingenomen door een ommuurde terp, in het midden waarvan een oude half verdorde sintjansbroodboom stond. Ze ging op de rand zitten en staarde over de daken heen naar de zee in de verte. Een pope kwam uit de kerk, sloot de deur met een zware sleutel, wierp haar een strenge blik toe en verdween tussen de huisjes. Het dorp leek uitgestorven. Na de kerkdienst had iedereen achter de witte muren de binnenkamerse koelte opgezocht. In de laaiende zon vertoefde nog enkel de dwaze toeriste uit het noorden, die de zondag niet heiligde en niet wist hoe de tijd door te brengen, een vrouw van middelbare leeftijd zonder haar man op reis en doelloos zwervend, een steen des aanstoots. Keren wij haar de rug toe. Indien uw oog u ergert, ruk het uit. Ze was door God en mens verlaten, de toeriste uit het noorden, en ze had dorst. Ze was aan velerhande kwellingen ten prooi, maar dit was nu het prangende alles dominerende gevoel, een onbedwingbare behoefte aan lafenis. Alles had ze veil voor een glas water, een glas koele wijn, een glas bier, eender welk vocht dat haar papillen kon bevredigen. En nergens een drankgelegenheid, nergens een mens. Boven haar hoofd hief een krekel zijn snerpend geluid aan. Het antwoord was er dadelijk uit vijf, zes metalen krekelkelen. De boom was een bos schril lawaai. En rondom, op de daken en in het dorre gras ontsprongen andere krekelstemmen. Het was een lopend vuur van pijnigend lawaai. Dit dorp in een hel, dacht ze. Ik verlaat het, ik kom er nooit terug.

Even later dacht ze: de eenzaamheid ligt me niet. Ze geneest niet, ze maakt me aldoor zieker.

Toen bemerkte ze dat een meisje van zeven of acht haar aanstaarde. Het stond tegen de muur geleund in de smalle strook schaduw langs het eerste huisje, een vinger in de mond, een roze strik in het glanzende sluikhaar.

Ze glimlachte naar het kind. Het glimlachte terug. Ze wenkte, maar het kind schudde neen met het hoofd. Het bleef echter glimlachen.

'Kala' zei ze.

Het was ook een mooi kind, mollig en bruin, met iets mysterieus in de zwarte ogen, die haar onaflatend aanstaarden. Door dit kind kreeg het dorp ineens een vriendelijk aanschijn.

'Kafé' vroeg ze en maakte met gebaren duidelijk dat ze verlangde te drinken.

'Kafeneon' vroeg het kind.

Ze knikte. Het kind wees naar ergens beneden, wenkte, en holde op klepperende sandalen weg.

Ze volgde moeizaam over de ruwe keienbestrating. Waar ze het kind uit het oog had verloren, aan een kruispunt van amper drie meter brede steegjes, stond ze aarzelend stil. Voorbij de hoek wenkte een vrouw in het zwart. Ze wees naar een metalen tafeltje. Boven de deur was in een omlijsting van wijngaardranken een vermolmd uithangbord met de woorden 'Kafeneon Nikolaos' aangebracht. De vrouw hield niet op met wenken. Ze hief een rieten stoel te op en wees er uitnodigend naar.

Ze bestelde een halve fles witte wijn. Haar traag uitgesproken Engels scheen de vrouw te begrijpen en verdween achter het kralengordijn. Een oude man kwam op krukken buiten en stelde zich voor. Hij was Nikolaos en zijn dochter heette Maria. Het kafeetje was zijn eigendom. Op de helling bezat hij nog een stuk land, waarop allerhande kruiden gekweekt werden, die ze aan restaurants verkochten. Kruiden geven smaak aan het voedsel en ze zuiveren het bloed. Uit welk land kwam de lady? Belgium, daar had hij over gehoord, het hoofdkwartier van de Nato, de administratie van de Euromarkt, waartoe Griekenland spoedig zou horen. Een welvarend landje, heel wat toeristen kwamen uit Belgium.

Maria plaatste op het tafeltje, naast de bestelde retsina, een bord met augurkenschijfjes, tomaten, sneden brood en een stuk hagelwitte geitekaas. Ze maakte duidelijk dat ze het voedsel, dat niet besteld was, cadeau deed. Aan haar vader gaf ze daaromtrent een uitvoerige uitleg. De man lachte in zijn stoppelbaard en vertaalde dat Maria de lady trakteerde omdat de lady een droevig gezicht had. Ze giste dat de lady een groot leed overkomen was. A good girl, Maria, a very good girl.

Ze dankte Maria, dronk een teug, plukte een brokje kaas, kauwde op het brood en op de groenkost.

De oude man praatte honderduit. Hij was gedurende de oorlog in het verzet geweest. De Duitsers waren nu royale toeristen, toen waren ze vijanden. Je kunt niet blijven haten, het leven gaat door. Zijn knieschijven waren stuk geschoten. Vijf kogels moesten uit zijn lijf gehaald worden. Het gebeurde in een kelder in Agios Nikolaos, bij kaarslicht en zonder verdoving. Men hield een prop in zijn mond om hem te beletten te schreeuwen want in de straat patrouilleerden soldaten met het geweer in aanslag. Gelukkig had hij Maria, a good girl, a very good girl.

Ze dronk weer. Maria sprong toe om bij te vullen. Ze voelde zich vol lopen van dankbaarheid. Ze was de lady met het droevige gezicht. Uit de wereld van de genieters, die zich de mooiste stranden hadden toegeëigend, was ze weggedwaald en ze was bij eenvoudigen terecht gekomen, en die zagen bij de eerste aanblik wat de soortgenoten ontging ondanks dagenlang vertoeven in dezelfde tuin en dezelfde kamers. Ze voelde tranen wellen en wiste ze niet weg, ze mochten gezien worden. Zalig de eenvoudigen van geest.

Maria verdween even en kwam terug met een fel groen takje, dat ze haar aanbood.

'Basilicum' zei ze. 'Good smell.'

Een produkt van hun kruidentuin kreeg ze als aandenken mee. Ze snoof, dankte en borg het twijgje in haar keurs.

Aan de vader was het dat ze het bestelde moest betalen. Een gebaar van Maria maakte het duidelijk. De man zocht in een grote lederen beugel naar wisselgeld. Ze zei dat het niet nodig was. Hetgeen haar geschonken werd was onbetaalbaar. Maria begreep haar Engels maar half maar de betekenis raadde ze. Haar aandachtige blik gaf teleurstelling te kennen. Ze aanvaardde dan het wisselgeld. Ze had lust om het tweetal te omhelzen en stond een poos onhandig met de armen geheven. Maar ze onderbrak het gebaar. In andere windstreken heb je het gissen naar de gevoeligheden en de gewoonten. Je kunt met de beste bedoelingen blunderen.

'I come back. Surely, I come back.'

De weg terug. De afdaling naar de zee, die boven het stroeve loof van de olijfbomen te schittertrillen lag. Ze liep met verende stappen. Zalig de eenvoudigen van geest. Aanstekelijke goedheid, gelukkig makende goedheid. Wanneer had ze ooit een gelijkaardig gevoel ervaren? Bij haar moeder was het, de maand na vaders afsterven. Het kamertje van haar moeder dat vol gestouwd was met de snuisterijen van vroeger, de biscuiten beeldengroepjes, de antieke vaasjes met vergulde biesjes, strobloemen in een potje midden op de tafel, omslachtige kandelabers op de schoorsteen en de oude klok die niet meer liep sinds vader gestorven was. De eigenzinnige klok, aan zijn bevende hand was ze onderdanig geweest. Als andere handen probeerden haar op gang te krijgen, viel ze na enkele minuten koppig stil. De bleke facie van haar wijzerplaat staarde je in tergende roerloosheid aan. Een inval van Ann was het geweest. 'We gaan naar oma en brengen een heel diner mee, voorgerecht, hoofdschotel, taartjes en wijn. De zoete witte wijn, waarvan ze houdt. Ook borden en glazen brengen we mee, ze hoeft niets uit haar kasten te halen.' Ann was tien jaar oud toen, een schat. Hij was niet meegegaan. Hij had een afspraak met een zakenrelatie, hij zou met die relatie lunchen en onderwijl doorwerken. Zo verloor hij geen tijd. Jammer dat een mens moet slapen. Zij, Ann, Geert en Treesje in de overvolle kamer rond de tafel met het geruite kleed dat ze ook meegebracht hadden. En de bevende dankbaarheid van de oude vrouw.

'Het was een feestje voor mij. En zo onverwacht.'

Niet veel is er nodig om je een gevoel van geluk te geven, een takje basilicum, wat sla, wat tomaten, wat augurken, een hompje kruimelende geitekaas, een aanmoedigende glimlach, een half woord voor de lady met het triestige gezicht.

Terrasjes onder zonnetenten lokten op het havenpleintje. Ze liep door. Ze had iets te verrichten. Tijdens het dalen had ze het gevoel gehad dat een taak haar wachtte. Nu wist ze welke: ze moest naar huis schrijven. Niet naar hem. Ze zou niet weten wat ze hem te vertellen had en ze wilde aan hem niet denken. Niet naar hem, nu nog niet, later zou ze zien. Tot haar kinderen zou ze zich richten. Tot Ann in de eerste plaats. Morgen tot Treesje, overmorgen tot Geert. Ann had het nodig. Het aanhankelijke wicht dat ze geweest was, was onberekenbaar en hard geworden, hard als de steenachtige aanwas van de olijftak waaraan ze zich bezeerd had. Ze zou schrijven wat haar te binnen viel, gedragen door de milde gevoelens, die ze aan Maria van het kafeneon Nikolaos te danken had.

Eerst zwemmen. Op haar kamer trok ze een badpak aan, schoof schrijfgerief in haar tas, sloeg een badmantel om haar schouders en nam de lift naar beneden.

Twee kinderen stoeiden in het zwembad. Een zware man liet zich door een zwaaiende tuinsproeier verfrissing toewuiven. Geen briesje beroerde de tuin. De palmbomen stonden in versteende roerloosheid. Ibiscussen en bougainvillea's in felle bloei gaven hun kelken onbezorgd aan de zonnebrand prijs. En de zee strekte zich in gestolde schittering uit. Reuken van zonneolie en van oliegebak hingen er te gisten. Haar plekje onder de olijfboom was onbezet. Ze legde haar spullen op een stoel, stapte in het water, bevochtigde polsen en enkels. Zwemmend vormde ze de woorden van haar brief. Ann, mijn lieve, terwijl ik zwem denk ik aan je. Ik had je graag bij mij gehad, niet om te bewaken of te kapittelen, gewoon om je in mijn omgeving te weten. Er is een tijd geweest dat je veel met mij praatte. Je stelde vragen en ik antwoordde. Er waren na zo'n gesprek lange pozen van stilzwijgen. Ik giste dan waarmee je gedachten bezig waren. Ze verwerkten mijn antwoorden op je vragen. Het was prettig je ernstige gezichtje te observeren terwijl je je de nieuw verworven wetenschap eigen maakte. Er waren ook uren zonder vragen en antwoorden. Je speelde dan eender wat, schooljuffrouw, verkoopster, moeder en kind. Je ging in je spel op. En ik observeerde met vreugde en trots. Met des te meer vreugde en trots daar ik van je vader veel vernederingen te verduren had. Jij en je zusje en je broertje gaven me de kracht om overeind te blijven en vol te houden. Jij vooral. Je bent de oudste. Niet vaak heb ik je gekoesterd. Je bent vroeg afkerig geweest van geknuffel. Van moederlijk geknuffel althans. In gedachten klampte ik me aan je vast. Veel is sindsdien veranderd. Je kiest onvoorwaardelijk voor mij en tegen je vader. In dat opzicht heb je me niet ontgoocheld. Maar veel is veranderd. We kunnen niet meer praten en nog minder zijn we in staat zwijgend bij elkaar in een kamer te zitten. Elkaars bijzijn schenkt geen vreugde. Ik vermoed telkens wrokkigheid bij je omdat ik je op de wereld gezet heb in de situatie die de onze is, situatie die ik niet hoef uit de doeken te doen. En jij vermoedt bij mij ontgoocheling en verdriet omdat ik van jou de steun en het medeleven niet krijg, waarop ik meen recht te hebben. Je hebt het gevoel dat ik teveel beslag op je leg en je beletten wil je vleugels uit te slaan en je vlucht te nemen naar het grote vrije leven, naar de vreugde en de blijdschap, die thuis niet te vinden zijn. En je wrikt je los uit de domper van wrokkigheid en lusteloosheid die op ons huis drukt. Al te roekeloos en te naïef stort je je op alles waarvan je meent vreugde en blijdschap te mogen verwachten. Je stort je gewonnen verloren in avontuurtjes, die je telkens wat beschadigen. Ik huiver, Ann. Ik denk aan het gave, aanhankelijke, lieve wicht dat je was tot vijf of zes jaar geleden. Ik huiver van al de onzichtbare wondjes, die je opgelopen hebt en waarover je met mij niet praten wilt. Waarover je met niemand praat. Die je verbergt achter je hard geworden trekken. Ik denk aan je onvatbare blik, die wegflitst telkens als ik in je ogen wil kijken. Onvatbare Ann, beklagenswaardige Ann. Ik sloot vriendschap met een Hollands meisje, dat iets ouder is dan jij. Ik ben in die paar dagen meer over haar te weten gekomen dan ik over jou weet. Het is Godgeklaagd hoe vruchteloos mijn pogingen zijn om tot jou door te dringen. Misschien ligt het aan mij. Misschien zocht ik bij jou wat je niet geven kunt. Misschien onthield ik je datgene wat je van mij verwachten mocht. Misschien was ik teveel met me zelf begaan, mijn gekneusde zelf, mijn te naaste bij vernietigde zelf.

Ze stond onder de stranddouche. Geen Els in het zicht. Twee jonge mannen diskussieerden in het Engels over de techniek van het plankzeilen. Een naakt klein meisje likte aan een ijsje. Tafereeltjes zonder belang. Els was er niet. De man met het verminkte gezicht en zijn mooie vrouw waren nergens te bespeuren. Misschien lagen ze hogerop in de tuin onder een parasol. Ze had nood aan mensen met wie ze kon praten. Ze had lust om rond te kuieren. Hele delen van het hoteldomein had ze nog niet verkend. Paadjes lokten bezijden de baai. Langs de bungalow's liepen ze, omzoomd door struiken en bloemen en mondden uit op zwarte klippen. 's Nachts was het klotsen van de golven tegen die klippen tot in haar kamer te horen. Lust waaraan ze niet mocht toegeven. Op haar knieën lag de gladde lederen tas, op de tas het blok wit papier, haar vingers speelden met de kanariegele balpen, waaraan een kettinkje bevestigd was, dat om haar ringvinger spande.

Ze schreef de datum en de aanspreking: Ann, mijn lieve. Ze keek van het blad weg. Ann, mijn lieve, zo sentimenteel had ze haar dochter in jaren niet aangesproken. De toon zou verrassen, misschien een sarkastische glimlach ontlokken. Gevoelens uiten behoorde niet tot de stijl van het huis. Milde gevoelens althans. Er werd gegrinnikt, gespot, gekrenkt, gehaat. Niet gehuild. Ook tranen pasten er niet. De stekelige bast om haar gevoeligheden had ze nodig gehad om zich te handhaven. De bast was weggevallen en ze schreef: Ann, mijn lieve. Meteen had ze haar dochter voor ogen zoals die door het huis liep waar de brief zou arriveren. Het klonk inpalmend en daardoor tot afweer uitnodigend. Haar lippen prevelden: Els, mijn lieve, en dit klonk echt. Els met de trouwhartige bruine ogen, met het raadsel van haar drang tot zelfvernietiging, hulpbehoevende Els, de dochter die ze zich gewenst zou hebben. Een dwaze wens. Waarom zou ze geen dwaze wensen mogen hebben? Els, mijn lieve. Het zou haar heel wat makkelijker vallen naar Els te schrijven dan naar haar dochter. Els gaf haar hulpbehoevendheid bloot. In Els was het kind nog niet dood ofschoon ze ouder was dan Ann. Dat was het misschien wat haar in het Hollandse meisje het meest bekoorde: een stuk kinderlijkheid dat onaangetast gebleven was. Hoewel ze erge dingen had meegemaakt. Hoewel ze geleden had, maar dan zoals een kind lijdt, zonder aanstellerij, zonder de behoefte om zich als stoer voor te doen.

Ze boog over het witte blad.

Ann, mijn lieve, ik zou willen dat je naast mij zat en dat we met elkaar konden praten zoals we dat tot zes, zeven jaar geleden deden. Het is hier heel mooi, stralende bloemen tot vlak bij het water, een glorieuze zon, geen wolkje aan de hemel, een onberispelijke bediening, en tal van lieve mensen. Maar jou mis ik. In een dorpje op een bergflank niet ver van hier bood een volksvrouw me kosteloos een bord Griekse sla aan met brood en kaas. Ze had met me te doen, ze had opgemerkt dat ik verdriet had. Via haar oude vader, die wat Engels kent, maakte ze het me duidelijk. Het heeft me ontroerd. Ik voel me inderdaad triest, maar ik gaf er me geen rekenschap van dat het op mijn gezicht te merken was. Thuis, en ook nadat ik het huis verlaten had, leefde ik in spanning. Ik had een strijd te voeren. Nu is de spanning afgezwakt en de triestheid drijft boven en neemt bezit van mij. Ik kan zwemmen, wandelen, zonnen, prettig dineren, maar niets schenkt me genot. Ik denk aan alles wat kapot ging en hoe hardvochtig en onmeedogend we voor elkaar geworden zijn, hoe we ons voor elkaar afsluiten, eilanden geworden zijn, door kilometers zee van elkaar gescheiden. Hier vlakbij ligt een klein eiland. Het heet Spinalonga. De mensen hebben hier, zoals in Nederland, land op de zee willen veroveren. Ze hebben met dat doel een dijk gebouwd die Kreta met Spinalonga verbindt. Ik zou zo'n brug naar jouw eiland willen leggen.'

Ze vlijde zich neer. Door het schriele gebladerte heen priemde een zonnestraal die haar verblindde. Ze sloot de ogen. Het felle licht drong rozerood door haar oogleden heen. Het was een behaaglijk gevoel. Een netwerk van paarse adertjes lag over de aan de binnenzijde geziene oogleden. De tuin, de mensen, de zee, de gespreide witte bouwwerken waren verdwenen. Ze lag zalig warm, in zichzelf besloten en bekeek een stukje van zichzelf van binnen uit. Teveel met me zelf begaan, had ze geschreven. Neen, niet geschreven. Ze had zich voorgenomen het te schrijven terwijl ze zwom. De bekentenis was niet uit haar pen gekomen. Het kon nog, de brief was niet af. Zou ze ertoe komen toe te geven dat ze tekortgeschoten was? Hoefde het? Was het niet geraadzaam het restje aanzien, dat ze bij haar kinderen genoot, onaangetast te laten?

Teveel met me zelf begaan. Ze moest genezen. Daarom was ze naar het zuiden gereisd. Geen angst meer om Ann. Voor het ogenblik niet. Van de nachtmerrie, die door het verhaal van Els was ingegeven, was ze bevrijd. De nachtmerrie had haar op klaarlichte dag overvallen. Nooit eerder was haar zo iets overkomen. Nooit eerder zo'n benauwende angst. Bewijs dat ze niet teveel met zichzelf begaan was.

Ann liet haar niet los. De angst sloeg nergens op. Welke gelijkenis kon er bestaan tussen die onbekende zus van Els en haar stugge van zich afbijtende dochter? Die zus van Els moest heel gevoelig zijn vermits de scheiding van de ouders haar de genadeslag had toegebracht. En ze was het kind van een vrouw, die alles op de carrière zette en geen oog had voor de gekrenkte gevoeligheden in haar onmiddellijke omgeving. Zonderlinge geschiedenis. Ze moest er meer over te weten komen. Waar bleef Els? Ze moest Els zien te spreken. Els zou haar helpen om de goede toon te treffen, de toon die bij een gevoelig kind aanslaat. Ann was gevoelig al liet ze het niet blijken. Ook zij had een stekelig bolster gekweekt, ook zij had het nodig om zich te kunnen handhaven. Gelukkig de kinderen, die zich niet hoeven in te kapselen en gewoon kind kunnen zijn. Geluk dat haar kinderen niet kenden.

Had ze zelf dat geluk gekend?

Grootvader, grootmoeder, hoe lang was het geleden dat ze nog aan de gezellige oudjes gedacht had? Met kerstmis sliepen ze er met zijn allen. Dan sloop ze 's morgens naar het aartsvaderlijke ledikant, waar een plaatsje tussen ze beiden voor haar vrij gemaakt werd.

'Grootva, wat heb je grote neusgaten.'

'Dat weet ik. Ook de vogeltjes weten het. Soms zijn er die er hun nest in maken. Dan mag ik niet hard ademen en ook niet niezen. Ik wil ze immers niet verjagen. Ze leggen eitjes in dat nestje, en na een paar weken komen er kleine vogeltjes uit de eitjes. Dat kriebelt, maar ik kan het verdragen. Ik hou van kleine vogeltjes en van kleine meisjes. 's Nachts gebeurt het dat ze piepen. Dan denkt grootmoe dat ik snurk. Maar ik snurk niet, de vogeltjes zijn het, die piepen.'

Ze richtte zich op, las de laatste regel van haar brief, vervolgde:

'Het was altijd mijn wens jou en Geert en Treesje een even gelukkige kindertijd en een even gelukkige jeugd te geven als ik zelf heb gehad. Die wens is niet in vervulling gegaan.'

Terwijl ze die woorden schreef dook het barse gezicht op van de man, die het onmogelijk had gemaakt. En meteen kwam de angst opzetten, haar hart sloeg aan het bonken, haar hoofd gloeide. Ann was nu overgeleverd aan de vader die ze haatte. Ann zou niet buigen en hij zou haar breken. Hij kon het, hij kon alles. Ann zou vluchten, wegrijden met haar fiets, eender waarheen. God, bespaar haar de nachtmerrie, de ontkledingsscène, de spoorrails, het gillende staal, de donderende trein.

'Prettige dag gehad?'

Els vlijde zich naast haar neer in het gras, glanzend nat, zo van onder de stranddouche vandaan.

'Ik schrijf een brief aan mijn oudste dochter. Het vlot niet. Ik ben blij dat jij er bent. Je kunt me misschien gedachten geven. Ik heb een vreemde ervaring gehad. In een dorpje op de helling bood een vrouw me ongevraagd een maal aan en ze wilde niet dat ik betaalde. Ze deed het omdat ik een triestig gezicht had. Ik was ineens van mijn triestigheid verlost. Tot ik met de brief begon. Wat verlangt een meisje van jouw leeftijd te lezen van haar moeder. Een moeder, die van haar man gescheiden leeft.'

De bruine ogen van Els namen haar aandachtig op. Ze antwoordde niet meteen, ze plukte een grassprietje, kauwde erop en ging languit op haar rug liggen.

'Ik kreeg een telegram van mijn moeder. Geen brief, een paar zinnetjes maar. 'Blijf tot de 28e in Geneve. Kunt komen als je wilt.' Ik heb geen zin om erheen te gaan. U bent dus ook gescheiden. Ik dacht het. En u hebt kinderen. Ik vind het fijn dat u een lange brief naar uw dochter schrijft.'

'Niet makkelijk, zo'n brief. Ze haat haar vader, en ze moet de hele maand bij hem blijven. Ik mag niets schrijven dat die haat aanwakkert. En ik kan de man ook niet goedpraten. Hij is niet goed te praten. Hij ziet maar één ding: presteren, geld verdienen.'

'Presteert hij?'

'Geweldig. Hij heeft een aantal bedrijven uit de grond gestampt en hij houdt de teugels stevig in handen.'

'Een mannelijke man dus' Els lachte, maar het was geen vrolijke lach. 'Ik heb een mannelijke moeder. Het valt niet mee. Ik heb geen zin om op haar uitnodiging in te gaan.'

'Hoewel je naar haar verlangt.'

'Of ik naar haar verlang weet ik niet. Maar zeker weet ik dat het een ontgoocheling zou worden. Ze interesseert zich niet echt voor mij. Ze zal haarfijn uitleggen wat er met mij aan de hand is na me twee minuten in de ogen gekeken te hebben. Ik zal haar uiteenzetting ondergaan en er niets tegen in te brengen hebben, hoewel het niet klopt. Ze is overtuigd alles van mij te weten omdat ze mijn moeder is. Ze acht zich ontslagen van de plicht zich langdurig met me te onderhouden zoals ze met haar patiënten doet. Maar ze weet niets over mij.'

'Ze inviteert je. Ze stelt dus belang in je. Ze wil zich aan je wijden.'

'Ze zal op dat kongres een hoop nieuwe teorieën en nieuwe technieken opgedaan hebben, en ze zal die op mij willen uitproberen. Na een paar dagen zal ik me mezelf niet meer voelen, maar een soort robot die door allerlei onbewuste strevingen en frustraties in beweging wordt gebracht. Haar blik alleen reeds maakt me ellendig. Ik moet dan vechten tegen de neiging om er een eind aan te stellen. Zoals mijn zus deed.'

Ze haat haar moeder, dacht Louisa, zoals Ann haar vader haat. Zoals ik mijn man haat. Mensen, die jaren lang onder hetzelfde dak gewoond hebben en die op elkaar aangewezen zijn, kunnen ertoe komen elkaar te haten. Of verdiende dat gevoel de felle naam niet? Was het niet eerder liefde, die zich niet op de goede manier beantwoord achtte? Beiderzijds een miskende liefde, die tot haat van de andere leidde.

Ze had de indruk dat ze een denkwerk verrichtte dat doordrong in een konfuse realiteit. Haar hoofd stond gespannen. Ook voor haar zelf waren er konsekwenties aan verbonden, maar dat zette ze voorlopig opzij, ze had momenteel met Els te doen. Maria had haar een bord Griekse sla aangeboden, ze had zich gelukkig gevoeld en was voor een halve dag genezen geweest. De metodes van de eenvoudigen van geest, die God zullen zien. Als ze nu aanbood Els naar Geneve te vergezellen? Het was een inval, een dwaze inval misschien. Zij, die tot niets in staat werd geacht, zou het op zich nemen moeder en dochter te verzoenen, de onbekende moeder en de amper gekende dochter. De metodes van de eenvoudigen van geest, de ondeskundige metodes bij de vrouw, die rot van deskundigheid was. Het lokte haar. Het zou haar zelfvertrouwen schenken, het zou haar wapenen om de situatie thuis aan te kunnen, de angstaanjagende situatie van Ann.

Ze had zich een verkeerd beeld van Ann gevormd, dacht ze plots. De erop los levende en zich stekelig tegen haar vader opstellende Ann, was niet de enige Ann, zelfs niet de echte Ann. Ze moest zich in haar oudste dochter verdiepen, uit het verleden feitjes naar boven halen, waarin ze zich voordeed zoals ze echt was. Het was een dwingende noodzaak. Dan alleen zou ze de angst kunnen bezweren, de nachtmerrie van overdag. Dan alleen zou ze de goede aanpak vinden. Als met zachte vingers door de naar de avond neigende zon beroerd, moest ze een poging ondernemen om haar dochter te rekonstrueren.

Het was stil geworden. Els had een stoel naderbij getrokken en lag ook naar de hemel te staren, kauwend op een grassprietje. Het verleden is geen film, die je naar believen voor je ogen kunt afrollen. Er is zoveel dat je niet kunt oproepen. Flarden drijven aan, onsamenhangend als een droom, die je wilt navertellen, en waaraan je een zin wilt geven. Je geheugen laat je in de steek. Je hebt de indruk dat het essentieelste je ontsnapt en dat maakt je angstig. Op voorname stukken van de puzzle kun je de hand niet leggen. Ze dobberen ergens onbereikbaar op troebel water.

Ann, hoe vind ik je terug?

Er waren vrienden en vriendinnetjes in huis. We bewoonden nog maar pas weer het grote huis. Het was een jaardag van een van jullie, van Geert, geloof ik. Er werd gerend trap op, trap af, het hele huis door, er werd gestoeid. Ze zaten een poos op het tapijt in een kring en speelden een spel, waarin de vingers een rol speelden. Hoe het in mekaar zat, herinner ik me niet. Zelfs de flarden hebben gaten. Maar dit weet ik nog: jij stond buiten het kringetje, je was niet opgenomen in de uitbundige troep. Ze negeerden je niet. Jij zelf was het, die je er buiten stelde. Niet opzettelijk, je had graag kunnen opgaan in de algemene pret, maar je kon het niet, en dat maakte je triestig. Ik observeerde je gezichtje. Ik vond het toen biezonder mooi. Ik wist ook dat je knap was. Mooi en knap. Ik dacht: om Ann hoef ik niet bezorgd te zijn. Ze is mooi en knap. Ik vergiste me. Juist daarom had ik bezorgd moeten zijn. Het was voor je allemaal bekeken, je kon geen pret beleven aan het kinderlijke gedoe, je verlangde naar meer, je verlangde onbewust meer dan het leven geven kan. In vroegere tijden gingen meisjes als jij naar het klooster of ze werden beruchte verleidsters. Waar is jouw plaats? Welke is mijn rol bij je?

'Maak je je brief niet af' vroeg Els.

Ze was Els vergeten. Ze was de brief vergeten.

'Ik heb last met die brief. Oppervlakkige zaken vertellen over het weer, het hotel, het gezelschap, dat is niets, dat kan iedereen. Ik wil een brief waar ze wat aan heeft. Ik wil haar iets bijbrengen. Het is moeilijk. Ik ken haar niet.'

Els richtte zich lachend op.

'Het is gek. Mijn moeder is overtuigd alles over mij te weten, en het ergert me. Jij vreest je dochter niet te kennen en het maakt je ongelukkig. Ik zou veel geven om een moeder te hebben, die bang is haar dochter niet te kennen.'

Louisa dacht: die moeder van Els intrigeert me. Ik ga beslist mee naar Geneve. Ik zal daar zien hoe het niet moet. Ik heb te leren.

Ze richtte zich op, iets was haar te binnen gevallen. Ze sloeg het blok papier open en schreef.

'In het hotel is er een echtpaar dat me boeit. De vrouw is halfweg de dertig en heel mooi, van een zachte schoonheid, smal in de lenden maar voor het overige eerder vol van vormen. Die molligheid hoort bij de zachtheid van haar verschijning. Messcherpe gezichten geven me altijd een indruk van eigengereidheid en hardvochtigheid. De man is een goede tien jaar ouder. Ook hij is goed geproportioneerd, iets groter dan zij, net zoveel als het bij een paar uit de filmwereld past. De ene helft van zijn gezicht is gruwelijk verminkt, paars en opgelapt. Wat die verminking veroorzaakt heeft, een ziekte of een ongeval, weet ik niet. De man is niet om aan te zien. Het merkwaardige is dat die twee mensen opvallend minzaam en teder met elkaar opgaan. Aan tafel zitten ze tegenover elkaar en praten rustig. Als de man aan het woord is, kijkt de vrouw hem aan, ze is heel en al aandacht, heel en al liefde. Ik had gewenst zo door het leven te kunnen gaan. Ik wens dat jij en Geert en Treesje zo door het leven kunt gaan. Mijn huwelijkservaringen hadden me doen twijfelen aan de mogelijkheid. Maar het kan, ik zie het voor mijn ogen. Het kan. Maar daarvoor is een en ander nodig, respekt voor de andere, respekt voor jezelf, verwerping van wat laag is. En ook wat zelfverloochening. Geen komplete zelfverloochening nochtans. Je moet zelf ook aan je trekken kunnen komen.'

'Lees die halve bladzijde' zei ze. 'En zeg me hoe je erover denkt.'

Els las en gaf haar het geschrift terug.

'Goed, heel goed. Alleen de zedeles zou ik er niet bijgevoegd hebben. Hetgeen je bedoelt kan uit je verhaal opgemaakt worden. We worden niet graag gekapitteld. We hebben misschien ongelijk, maar het is nu eenmaal zo.'

Louisa kopieerde de tekst en liet de laatste zinnen weg.

'Ik vraag me af,' zei Els, aarzelend als kwam ze moeizaam uit een lastige gedachtengang, 'ik vraag me af of hetgeen me tegen mijn moeder opstelt niet precies haar sterkte is. Ze is onkwetsbaar. Dat verdragen we moeilijk.'

Louisa dacht: is hetgeen me tegen mijn man opstelt niet zijn onkwetsbaarheid? Hij verplettert me, hij belet me te ademen, ik ben niets, vergeleken met hem. Vroeger verdroegen de vrouwen dat. Nu niet meer. Ik niet meer. Misschien is het onder de invloed van Ann dat ik het niet meer verdraag.

'Wat het echtpaar betreft, waarover je het in je brief hebt' zei Els, 'ik geloof dat ze op het punt staan te vertrekken. Er werd een telegram voor ze gebracht. Ze zaten in de tuin en ze hebben dadelijk hun spullen opgepakt. Ze leken ontsteld.'

Louisa ging liggen en sloot de ogen. Haar hart klopte in haar keel. Ook zij kon een telegram ontvangen dat iets ergs meldde. Ze verwachtte zo'n telegram. Daaraan waren de angstaanvallen toe te schrijven, de benauwdheid, de onmogelijkheid zich echt in vakantie te voelen, het gevoel vaandelvlucht te plegen.

'Ik ga nog even zwemmen' zei Els, 'Dan maak ik me klaar voor het diner. Ga je mee?'

Ze zwommen zij aan zij, douchten samen, spraken af

elkaar aan de receptie op te wachten.

Op haar kamer ondertekende ze de brief, sloot hem in een envelop, schreef het adres. Haar desertie was niet volledig. Ze had haar hersenen gepijnigd en haar hart in haar woorden gelegd. Ze had gedaan wat ze kon om de angst te bezweren.

Aan de receptie trof ze de mooie vrouw en de man met het verminkte gezicht aan. De vrouw, voor de afreis gekleed in een witte nauw sluitende tailleur, bette haar ogen. De man, ook in een heel bleek pak, stond een check te schrijven. Aan de bediende, die bij de koffers wachtte, gaf hij een fooi. Dan nam hij de vrouw bij de arm. Samen liepen ze met gebogen hoofd naar de uitgang, waar de zon op stond. Hun silhouetten tekenden zich tegen de schittering af. Dan waren ze verdwenen. Nooit zou ze hen terug zien. Nooit zou ze achterhalen wat hun geheim was.

'It's a pity' zei de receptiejuffrouw, die ze ook nageoogd had.

Een ongeluk met hun zoon, vervolgde ze. Hij was met vrienden op vakantie in Zwitserland. Hij deed er aan alpinisme en hij was verongelukt. Ja, dood. Een telegram was gearriveerd. Ze hadden maar die zoon. Verleden jaar was hij hier met zijn ouders geweest, een beeld van een jongen, een Apollo. It's a pity. Meneer was pas een maand geleden uit het ziekenhuis ontslagen. En nu deze ramp. It's a pity.

5

Ze lag op de plek die ze zich toegeëigend had onder de olijfboom vlakbij het strand. Het weer was onverstoorbaar stralend. Zoals de eerste dag betastte ze de kantige aanwas aan de overhangende tak, en zocht ze naar de krekels, die ergens in de doorzichtige kruin hun schrille gesjirp lieten horen. De eenzaamheid drukte op haar stemming. De ramp, die het bewonderde Franse echtpaar getroffen had, kon met het nare gevoel te maken hebben. Ze had geen woord met die lieden gewisseld. Het volstond dat ze er waren en dat ze hen kon gade slaan. Ze had eerst naijver gevoeld, dan verwondering en bewondering. Ze had erover naar Ann geschreven: het bestaat, ik zie het voor mijn ogen. Het moest haar biezonder getroffen hebben, dit toonbeeld van haast volmaakt echtelijk geluk, waarop de verminking van de man nauwelijks wat schaduw kon werpen. Het was een kortstondige illusie gebleken. Zoals in de oude Griekse sagen was dit geluk een doorn in het oog geweest van een naijverige godheid. Met een slag was het vernietigd.

Kon ze nu een van die lawaaierige krekels in het vizier krijgen. Het leek erop dat ze hun gesjirp staakten zodra ze een mensenblik over zich voelden glijden. Ze moesten met een merkwaardig instinkt van zelfbehoud begaafd zijn. Ze spitste haar aandacht toe op een stuk van de kruin, waar het er het luidruchtigst aan toe ging. Dadelijk werd het er stil. Een spel om de tijd te doden. Een spel voor eenzamen.

Waarom voegde Els zich niet bij haar? Wilde ze op haar eentje en vrij van beïnvloeding uitmaken of ze al dan niet op de uitnodiging van haar moeder zou ingaan? Het was haar goede recht. Louisa zou zich niet opdringen en haar niet storen.

Els had de vorige avond een droefgeestige bui gehad. Zelf was Louisa de hele tijd van het diner in gedachten bij het Franse echtpaar geweest en op Els had ze niet veel acht geslagen. Maar nu vielen haar woorden van Els te binnen. Er was een strijkje in het salon dat uitgaf op het terras, waar ze zaten te eten. Na enkele populaire wijsjes werd de 'Clair de lune' van Debussy gespeeld. Els staarde naar de grote koperen maan, die boven de heuvels van Spinalonga hing en ineens richtte ze een vochtige blik op Louisa.

'Dat is een van de dingen, die ik graag op mijn sterfbed zou horen.'

Louisa had geglimlacht. Het kind wist niets over sterven. Hetgeen met haar zus gebeurd was had een romantisch aureool. Het was overwogen en voorbereid als een toneelopvoering, die voor geen toeschouwers bestemd was. Enkel voor het oog van God. Het was een protest tegen het bestaan, tegen het fysieke lijden, tegen de ouders die haar stukje wereld stuk gemaakt hadden, protest misschien ook tegen God, die het anders had kunnen schikken. Maar sterven aan een ziekte, aan ouderdom, aan aftakeling, het gewone banale sterven op een ziekbed, biedt helemaal geen verkwikkelijk schouwspel. Zij, Louisa, had het meegemaakt. Haar ouders waren allebei in haar armen gestorven. En ze zag, ze hoorde, ze rook het weer, de kwijlende mond, de reutel, de stank, de radeloze blik. Geen mens dacht erbij aan de 'Clair de lune' van Debussy.

Ik wil nog niet sterven, dacht ze plots. Ik wil ook niet eenzaam zijn. Ik wil ze om mij heen weten, Ann, Geert, Treesje. Ik wil een nest.

Vreemd hoe die Els steeds weer aan de dood dacht.

Het was een fijn maal geweest, zomerse mensen om ze heen, een briesje dat van over de zee aanwoei en in het gebladerte trilde, en dan de zachte muziek, de maan, de glinsteringen op het water, en het prettige gevoel van de nagloeiende huid van rug en schouders, het gevoel van welgedaanheid, van verzadiging. En met tranen in de ogen denken aan je sterfbed.

Denken aan Ann, denken aan het telegram, dat Els ontving. Het is vreselijk als je kind moedwillig een eind aan zijn leven stelt. Het is de meest vernietigende aanklacht die tegen je gericht kan worden. Kun je na zo'n aanklacht nog verder blijven leven?

Je kunt het als je ontzettend egocentrisch bent, als je je zelf voor allerbelangrijkst houdt. En van de weeromstuit de anderen minacht, je kinderen minacht. De moeder van Els kon het. De vrouw bleef haar intrigeren. Als Els op de uitnodiging voor Geneve inging zou ze er wat op vinden om haar te vergezellen, al moest ze er haar vakantie met financieel verlies voor inkorten.

Ze stond op, vermeed op het nippertje een onzachte aanraking van haar hoofd met de kantige aanwas, wrong zich in haar badmuts, schreed naar de oever, zwom met trage streken. Het genot van het strelende water, het joelen om haar heen van stoeiende jongelui, het sierlijke glijden van zeilbootjes en zeilplanken, de verlokkingen van een vakantie zoals de folders van de reisagentschappen ze voorspiegelen. De post brengt je die folders in januari of februari als de regen de ruiten geselt, je stelt je er allerlei van voor, je kunt het je veroorloven, heel velen kunnen het niet. Nu zwem je in dit kristalheldere water, Louisa, je hebt zon of schaduw naar gelang het je lust, je eet en drinkt uitgelezen spijs en drank, en je kunt de kwellingen niet kwijt raken. Je verdiept je in andermans lot, het lot van Els, het lot van de mooie vrouw en haar verminkte man, je cirkelt om datgene heen, wat je zelf raakt, je hebt schrik van je zelf. Je zoekt een alibi om voortijdig aan je vakantie een eind te stellen. Je gebruikt Els, het is je niet om Els te doen. Wat hoef je je om dit vreemde kind te bekreunen? Je hebt eigen kinderen.

'Allo, lekker geslapen?'

Els had haar met forse crawlslagen ingehaald en dreef nu traag naast haar.

'Ik heb geen klagen.'

Ze had geen reden tot klagen. Ze was spoedig in een droomloze slaap weggezonken en ze was pas wakker geworden toen gasten op de gang elkaar luidruchtig toeriepen. En nu genoot ze van de reisfoldervakantie voor kapitaalkrachtigen. Ze had in badpak of in een lange avondjapon op een van die folders kunnen figureren met een verzadigde ietwat mysterieuze glimlach, zittend op een witte bank in een dekor van subtropische plantenweelde, een vrouw die het zich kon veroorloven, een door velen benijde vrouw.

Ze spoelde zich langdurig onder de stranddouche.

'Plannen voor vandaag?'

'Ik wilde je net hetzelfde vragen.'

Ze strekten zich naast elkaar uit.

'Mijn boek is uit,' zei Els 'en ik heb er geen ander gevonden dat me interesseert. Ik dacht eraan met jou de wandeling bergop te maken voorbij het haventje en de mensen op te zoeken die voor jou zo vriendelijk geweest zijn.'

Ze sloot de ogen. Maria en Nikolaos, het enge steegje, het minuskule kafeetje, de gratis aangeboden Griekse sla, het twijgje basilicum dat haar als aandenken was meegegeven, het was zo onverhoopt geweest, het had haar een halve dag gelukkig gemaakt. Misschien zou het ook Els gelukkig maken. Maar Els was jong. Hoe ze ook geleden had onder de geschiedenis met haar zus, haar verschijning droeg er geen sporen van. Ze was gaaf en glad, barstensvol energie, helemaal geen lady met het droevige gezicht. Als ze zich allebei bij Maria en Nikolaos aanmeldden kon het een ontgoocheling worden. En dat moest ze te allen prijze vermijden. Het was een herinnering om ongerept te bewaren.

'Ik ben er pas geweest. Het zou te vlug op elkaar zijn. Die lieden zouden kunnen denken dat ik erop uit ben om te profiteren.'

Geen instemming bij Els. Ze lag met gesloten ogen, de handen onder de nek gekruist. Het behatje had ze uitgedaan, haar ronde borsten gingen met haar ademhaling langzaam op en neer. Lag er geen ontevreden trek om de gespannen lippen? Louisa had met haar te doen. Ze wilde goedmaken wat haar afwijzing had kunnen bederven.

'Ik had me voorgenomen er nog eens te gaan de dag voor mijn afreis. Om te danken, om te zeggen welke goede herinnering ik aan ze meedroeg. Dan kun je mij gerust vergezellen.'

Haast onhoorbaar antwoordde Els.

'Als ik er dan nog ben.'

Het telegram van haar moeder speelde door haar hoofd. Ze

scheen ertoe geneigd op de uitnodiging in te gaan. Nu moest ze spoedig met het plan voor de dag komen haar naar Geneve te vergezellen. Het was echt een plan geworden. Het verbaasde haar dat het zo vast geworteld was.

'Andere plannen' vroeg ze.

'Kritsa en Lato. We nemen de bus naar Agios Nikolaos, en vandaar een andere bus naar Kritsa. Naar Lato moeten we het te voet doen. Het is een volkomen verlaten plek, een oude Griekse nederzetting.'

'Gaan we meteen?'

Ze hadden geluk. Amper waren ze omgekleed en aan de toegangspoort van het hotel gearriveerd als een bus er stil hield, die personeel naar de stad moest brengen en een andere ploeg afhalen. Ze konden mee. In Agios hadden ze vlug aansluiting. De wat overjarige bus hijgde de hellingen op en daalde met knarsende remmen. Hoeveel woorden hadden ze sedert het begin van de tocht gewisseld? Heel wat, konstateerde Louisa. Over het weer, over de hotels langs de weg, waarvan er geen enkel het hunne kon evenaren, over de kurieuze aanleg van de olijfgaarden. Nu zwegen ze. Hun hoofden schokten met het schokken van de bus over de oneffenheden van de weg. Ze hadden samen iets belangrijks te bespreken en ze kwamen er niet toe. Haar plicht was het te zeggen: meisje, je moeder ken ik niet. Of je ze verkeerd beoordeelt, weet ik niet. Maar ze is je moeder, en een moeder wijs je zomaar niet af.

Ze aten eierkoek met Griekse sla in de voortuin van een slordig restaurantje. In de olijfbomen boven hun hoofd hielden krekels huis zoals overal op het eiland. Voorbijrijdende bussen en auto's deden stof opwaaien en verspreidden benzinestank. En de straattafereeltjes: een pope in druk gesprek met een politieman of douanier, toeristen die zogenaamd handgeweven lappen keurden aan een stalletje, een vrouw die op een ezeltje tussen groentenmanden voorbij schommelde. Ze onderging het allemaal, amper bewust vanwege de loom makende middaghitte en de lichte beroezing die de jonge wijn bezorgde.

'Gaan we?' vroeg Els.

'Waarheen?'

'Naar Lato.'

Eerst daalde de weg naar een uitgedroogd riviertje, dan kronkelde hij naar omhoog tussen dorre akkertjes. Toeristen in huurauto's haalden hen in. Een enkele keer werd hun een lift aangeboden maar ze weigerden stoïcijns. Anderhalf uur duurde de klim. Ze lieten zich neer op wat op elkaar gestapelde stenen. Ze keken elkaar aan, op hun transpirerende gezichten kleefden stofvegen, ze schoten tegelijk in een lach. Ze waren moederziel alleen in een onooglijke nederzetting. De gemotoriseerde bezoekers waren reeds teruggekeerd. Ze hadden hen toegewuifd als ze hen kruisten.

Ze trokken hun sandalen uit, waarvan de riempjes knelden om bezeerde voeten.

'Oppassen voor slangen en schorpioenen.'

'Zouden er hier huizen?'

'Wie weet.'

Ze lachten weer. Waarom?

'We zullen er later mee opscheppen: twee uur klimmen onder een ongenadige zon om wat bloot gelegde fundamenten te zien van een onbeduidende nederzetting.'

'Er is ook een vergezicht. Daar ligt Agios Nikolaos.'

'Hoe raakten de lui, die hier woonden, aan drinkwater?'

'Ze moesten het met ezels of muildieren van beneden halen.'

'Waarom het zich gemakkelijk maken als moeilijk ook gaat.'

'Waarom deden we het te voet, als we een wagentje konden huren?'

Een mensenleven steekt vol waaroms. Je kunt op tal van momenten in je levensloop vraagtekens plaatsen. Waarom had ze destijds de schuchtere leraar Rudolf Vanbrakel het gebaar en het woord geweigerd, waar zijn diep liggende ogen om smeekten? Waarom was ze met de drukdoende bedrijfsrevisor getrouwd? Omdat hij kon wat niemand anders kon: het ouderlijke bedrijf ophelpen. Uit familiesolidariteit dus. Haar gevoelens kwamen niet aan bod. Waarom drie kinderen? Waarom scheiden? Waarom die rompslomp, die als enig resultaat zou hebben dat ze de rest van haar dagen in eenzaamheid zou slijten, van haar kinderen vervreemd, gewantrouwd door de getrouwde vrouwen, gewantrouwd door de mannen?

Kwamen haar gevoelens echt niet aan bod toen ze aanvaardde met hem te trouwen? Er zijn allerlei gevoelens. De man fascineerde. Hij was bijdehands, vlot, snugger, populair, bijna overal aanvaard, bewonderd en benijd. Je kon aan hem niet voorbij. Zij kon aan hem niet voorbij. Haar 'ja' bracht haar vader dankbare tranen in de moede ogen. Hoe gek leek het allemaal als ze eraan terugdacht, zittend op een stapeltje stenen en haar pijnlijke voeten masserend.

Els had haar sandalen weer aangetrokken en klauterde langs een onregelmatig trappaadje hogerop.

Waarom stelde ze het gezelschap van dit vreemde meisje zo op prijs? Waarom was ze zo benieuwd naar de moeder? School er niet een stuk perversie in die nieuwsgierigheid? Jij, geleerde vrouw, kunt het met je dochter niet doen. Op mij is ze verslingerd. Je man liet je zitten voor een andere. Mijn man zou alles in het werk stellen om mij weer te hebben. Maar ik houd het been stijf. Ik heb mijn trots.

Els kwam weer bij haar zitten.

'Niets te zien daar boven, dat de moeite van een klauterpartij waard is.'

Nu plonsen in de zee, nu een glas gekoeld bier, nu eindelijk een ernstig gesprek met Els.

'Al beslist wat je zult doen in verband met de uitnodiging van je moeder?'

'Neen.'

De toon was nijdig. Net alsof ze het kwalijk nam eraan herinnerd te worden. Een kind nog, die Els, een kind dat gestoord was in een spelletje dat haar liet vergeten dat een plicht op vervulling wachtte.

'Je moet in alle geval antwoorden.'

'Dat weet ik. Maar ik weet niet wat te antwoorden. Ik heb schrik dat ze me aan het huilen brengt. Huilen duldt ze niet. En ik zal niemand om me heen hebben, ik zal kompleet aan haar overgeleverd zijn.'

'Tenzij...'

'Tenzij?'

'Tenzij ik met je meeging.'

'Waarom zou je met mij meegaan?'

'Omdat ik voor je vrees. Het moederinstinkt misschien. Mijn eigen kinderen zijn ver weg, en jij bent hier.'

Een lange poos staarde Els voor zich uit. Dan wierp ze zich om haar hals en lag tegen haar aan te snikken. Ze streelde het warrige haar. Snik het uit, kind, dacht ze. Het doet me goed je te troosten. Ik heb me een mooie rol bij je toegeëigend. Je hoeft niet te weten wat er bij mij is omgegaan en wat die schijnmooie geste geïnspireerd heeft. Het is hoegenaamd niet zo zuiver op de graat. Maar voor jou is het goed iemand bij je te hebben in wie je een genereuze moeder kunt zien. Je kunt denken: het bestaat, ik heb aan haar borst liggen huilen. De wereld is nog niet verloren. Er bestaan nog moeders.

6

Het nam meer dan twee volle dagen in beslag om voortijdig uit het eiland weg te raken. In Herakleon, waar ze een nacht op het vliegtuig voor Athene moesten wachten, bleek er geen hotelkamer beschikbaar te zijn. Ze soesden wat op stoelen in de hal van de kleine luchthaven, en om vijf uur in de morgen stonden ze aan een automatische verdeler zerpe koffie te slurpen uit kartonnen bekertjes. Daar er op dit vroege uur geen broodjes te krijgen waren kochten ze een doos koekjes, made in Holland. Er waren ook Hollandse sigaren en sigaretten. Het enige Belgische produkt was een oud nummer van het dagblad 'Le soir.'

De met bruine eilanden en eilandjes bezaaide Egese zee schoof onder het vliegtuig voorbij, terwijl de zon boven Turkije rees. Els citeerde op een grappig plechtstatige manier uit Vondel.

'Daar rijst het alverkwikkend licht,
dat, laag gedaald benêen de kimmen,
de schaduwen en bleke schimmen
verdrijft van 's aardrijks aangezicht.'

Het was een laatste opflakkering van de vrolijkheid, waarmee ze zich door de rompslomp van de afreis heen hadden geslagen. Tot zolang had opwinding hen fit gehouden. Nu ze op hun geïmproviseerd reisdoel afstevenden en niet meer te bedisselen hadden, maakte loomheid zich van hen meester. Een kleine knaging van onrust bleef werkzaam, een gevoel als van een draaddunne metaalzaag die op een bot knarst.

'Slaap je' vroeg Louisa.

'Ik zou willen, maar het lukt me niet,' antwoordde Els.

'Heb je een foto van je moeder bij? Ik zou me gemakkelijker voelen als ik me de vrouw kon voorstellen.'

'Ik heb enkel een foto bij van mijn zus, die overleden is.'

'Laat zien. Misschien trekt ze op je moeder.'

'Dat heb ik er nooit in gezien.'

De foto toonde een scherp meisjesgezicht, omlijst door weelderig donkerblond haar. De mond lachte gespannen, de ogen lachten niet mee. Ze waren waterhelder en keken strak naar het objektief. Het kwam Louisa voor dat die ogen haar aanstaarden met de vraag: met welk recht heeft men mij op de wereld geplaatst?

'Wanneer werd die foto genomen?'

'Kort nadat vader ons verlaten had. Ze vroeg me haar te kieken. Ze leek toen voor haar doen in een vrolijke bui. Een maand of zo nadien gebeurde het.'

'Op de foto lijkt ze niet echt vrolijk. Eerder gespannen.'

'Gespannen was ze altijd.'

'Gelijkt ze op je moeder? Jij hebt veel van je vader, vermoed ik.'

'Ik weet het niet. Ik zie het er niet in. Ik wil het er niet in zien.'

De lichtjes met de instruktie 'fasten seat belts' schoten aan. Het vliegtuig daalde. De landengte die de Peloponesos met het vasteland verbindt, de golf van Corinthe, de messcherpe blauwe lijn van het kanaal tussen twee zeeën, de haveninstallaties van Pireus kantelden onder de raampjes.

Dan kwamen weer de dingen die hen in beslag namen, het wachten op hun reisgoed, het sjouwen, het bestellen van vliegtickets, het omwisselen van geld, het bemachtigen van een miserabele lunch.

Weer de lucht in voor de laatste etappe over een wollig wolkentapijt, waarboven hier en daar een bergtop uitstak. Het vliegtuig schokte door luchtzakken. Meteen had de angst Louisa in haar greep. Wat voerde ze uit? Haar dochter Ann was in gevaar en ze ging de grootmoedige beschermvrouw uithangen bij anderen die zichzelf konden redden. Was haar leven van de laatste weken niet een aaneenschakeling van vluchtmaneuvers, de vakantie in Elounda, de bevreemdende vriendschap met Els, en nu vooral de tocht naar Geneve, zogezegd om Els bij te staan in de pijnlijke konfrontatie met haar harde moeder. Ze had bij Els hoog opgegeven van het moederschap. Ze was de sentimentele toer opgegaan, in haar opgeschroefde ijver had ze zich tot gezwollen termen laten verleiden. Het doorknippen van de navelstreng laat andere strengen ongeschonden. Je leeft levenslang met je kind mee, zijn vreugden zijn jouw vreugden, zijn pijnen jouw pijnen, zijn angsten jouw angsten, enzovoort. Je zou er altijd bij willen zijn, ook als het zich van je los gemaakt heeft en eigen wegen gaat, om te helpen, om te beschermen. Ze was er haar eigen vaandelvlucht bij vergeten. Maar ze had een alibi: de gerechtelijke beslissing. Ze kon met gerust gemoed deserteren, ze moest wel. Ze hoefde niet bereid te staan om op te vangen als het nodig was. Het was ook een onbekenbare wraakneming. Voor hem de verantwoordelijkheid, voor hem de wroeging als het mis liep. Hij had die maand gevraagd, het was hem allemaal gegund. De wrok had de goede gevoelens overstemd.

En nu die andere moeder, de gevreesde.

'Het is een korte vlucht. We zullen er spoedig zijn.'

Els keek haar aan met een mistroostige glimlach.

'We hebben nog de treinreis Zurich-Geneve.'

'We kunnen een taxi nemen.'

'Zwitserland is ontzettend duur.'

Wilde ze de ontmoeting uitstellen of speelde de Hollandse zuinigheid een rol?

'Ik neem de taxikosten voor mijn rekening. Ik kom daar liever niet verfomfaaid aan.'

Weer de droevige glimlach.

'Zoals je wilt.'

Tijdens de rest van de reis wisselden ze amper enkele woorden. Els liep er willoos bij alsof ze tegen haar zin meegezeuld werd. Ze was bepaald nukkig toen ze in Geneve voor het hotel gedeponeerd werden. Louisa moest het allemaal alleen beredderen, een kruier wenken voor het reisgoed, zich aanmelden op de receptie, informeren naar mevrouw Dijlstra. Toen de hotelbediende die naam hoorde werd hij toeschietelijk. De dame verwachtte inderdaad bezoek. Ze had twee kamers besproken, en ze had een nota afgegeven, waarop uur na uur aangetekend was, waar ze aan te treffen was. Op dit moment moest ze op het dakterras rust nemen.

'Je moeder blijkt in alles stelselmatig te werk te gaan' zei Louisa terwijl ze op de lift wachtten.

'Dat wel.'

Louisa had zich een ietwat plompe vrouw voorgesteld, die aan haar uiterlijk geen belang hechtte. Het viel helemaal anders uit. Dokter psychiater Dijlstra was een modische verschijning, in diep uitgesneden zwart badpak, een breedgerande strohoed op het hoofd, en voor de ogen een zonnebril die zoveel van het smalle gezicht verborg dat de leeftijd niet te gissen viel. Ze rees uit haar ligstoel op toen ze naderden. De gestalte profileerde gaaf tegen de wazige achtergrond van blauwe bergen. Een boek, dat ze in de hand had, legde ze naast zich op een tafeltje, waarop een glas stond met een bodempje grasgroen vocht. De zoen aan Els was hartelijk, de handdruk voor Louisa krachtig.

'Laat me je bekijken,' zei ze tegen Els, haar op armlengte bij de schouders houdend. 'Mooi bruin, niet slanker geworden, maar ook niet merkbaar verzwaard. Neemt allebei plaats. Het is hier heerlijk. Niet zo heet als op jullie verschroeide eiland, maar net de temperatuur, die ik voor ideaal houd. En het vergezicht is lieflijk. Wat drinken jullie? Een biertje of vruchtensap?'

Het werd pompelmoessap. Toen de kelner zich verwijderd had, vroeg Els of het kongres meegevallen was. Mevrouw Dijlstra had de ligstoel voor een gewone stoel geruild en trok een fraaie badmantel aan met overwegend paarse motieven. Het viel Louisa op dat haar vinger- en teennagels in hetzelfde paars gelakt waren.

'De badjas heb ik hier gekocht' zei ze tegen Els. 'Er zijn in Geneve schattige spullen te krijgen, maar alles is ontzettend duur.'

Ze richtte zich tot Louisa.

'Denk niet dat ik mijn partiële naaktheid uit zedigheidsoverwegingen bedek. Ik weet uit ondervinding dat hier af en toe wind opsteekt. Liggend voel je daar niet veel van, maar als je rechtop zit krijg je rillingen. Het kongres, vraag je, Els.

Om eerlijk te zijn, aan het kongres zelf heb ik niet zoveel gehad. Er waren veel Fransen aan het woord, en ze zweren bij Lacan. Die man is bezig onze wetenschap te verdrinken in een abracadabra, waar geen touw aan vast te knopen is. Herinnert u zich het moment waarop u als kind voor het eerst u zelf in de spiegel gezien hebt?'

'Hoe zou ik me dat kunnen herinneren,' antwoordde Louisa.

'Nou, dan mankeert u iets uitermate gewichtigs. Volgens Lacan is dat moment beslissend voor het verdere leven. U doet dan een idee op over u zelf en over uw funktioneren in de wereld, dat niet meer uitgewist wordt door latere impressies. Ik stel hierbij de vraag: de volkeren, die geen spiegels kenden, kwamen die dan nooit tot een beeld van zichzelf? Ik geef dat heel bondig weer, maar die Fransen kunnen daar uren over leuteren.'

Die vrouw, overwoog Louisa, schijnt losjes te praten over wat tot haar belangstellingssfeer behoort, en zich niet af te vragen of het raakpunten heeft met wat haar gezelschap interesseert. Toch handelt ze doelbewust. Ze heeft iets met Els op het oog, al lijkt het erop dat ze enkel om haar lichaamsgewicht bekommerd is.

De bril en de zonnehoed waren afgelegd nu het licht verzwakte. Het gezicht, dat zich onthulde, was van het expressieve soort, dat men interessant pleegt te noemen. Er was een lichte walvorming onder de ogen, die donker blauw waren. De wenkbrauwen vormden hoge bogen, de linkere hoger dan de rechtse en vrij diepe rimpels liepen evenwijdig met dit onregelmatig wenkbrauwenpaar door het hoge voorhoofd. Een peinzend gezicht, een interessant gezicht, men was er niet vlug op uitgekeken. De trekken verrieden zachtheid en bereidheid tot inleving in andermans moeilijkheden, en tot begrip. Van de hardvochtigheid, die volgens Els het hoofdkenmerk van haar moeder was, viel bij die eerste kennismaking niets te merken. De vrouw praatte ondertussen door. Toch zou ze met dankbaarheid aan dit kongres terugdenken. Het had haar de gelegenheid geboden kennis te maken met een uitermate hoogstaande vrouw, doctor Jolande Jacobi, professor aan het instituut voor toegepaste psychologie in Zurich. Die had eraan herinnerd dat er ook nog een psychologie van Carl Gustav Jung bestaat, ten onrechte verwaarloosd in de lage landen.

'Men kijkt bij ons smalend neer op het reusachtige werk van die man. Zijn studies van primitieve beschavingen, zijn interesse voor zaken als de middeleeuwse alchemie en voor allerlei symbolen worden afgedaan als tijdverlies omdat ze zogezegd niets bijbrengen over de mens van hier en nu. Alsof er geen konstanten zijn, die bij de oude beschavingen beter waar te nemen zijn dan in onze gesofistikeerde leefwereld. En dan, zijn kijk op de levensloop. Als kind moet men zich los maken van het kollektief onderbewuste om zichzelf te worden en zijn taak in de wereld aan te kunnen, namelijk zichzelf in stand houden en voor de voortplanting zorgen. Als dat bereikt is, komt het tweede doel aan de beurt: terug voeling vinden met het kollektief onderbewuste om volledig zichzelf te worden, zich goed te situeren, zo kompleet mogelijke inzichten te verwerven, zodat, als de dood zich aanmeldt, men alle mogelijkheden heeft benut en niets onverlet heeft gelaten. De dood, zegt Jung, behoort net zo goed als de geboorte tot het leven. Hij is er onlosmakelijk mee verbonden. Hem te verdonkeremanen, zoals het westen doet, levert tal van neurosen op.'

Els stond op. Ietwat sullig zei ze dat ze na de lange reis behoefte had aan een bad.

'Je kunt ook zwemmen' zei haar moeder. 'Er is een voortreffelijk overdekt zwembad achteraan het gebouw.'

Toen Els vertrokken was, haalde ze een sigarettenkoker boven, bood een sigaret aan en stak er zelf een op.

'Hoe denkt u over Els' vroeg ze na een poos. Onder haar vorsende blik werd Louisa verlegen.

'Een gevoelig kind. En heel aanhankelijk.'

'Dat is ze. In verontrustende mate zelfs. Ik wed dat ze mij als hardvochtig heeft voorgesteld.'

'Dat woord heeft ze niet uitgesproken. Wel zei ze dat u helemaal in uw beroep opgaat en voor haar en haar zus weinig tijd overhad.'

'Ze is jaloers op mijn patiënten, kunt u zich dat voorstellen? Ze wordt drieëntwintig.'

Er viel een stilte. Mevrouw Dijlstra staarde naar de verte. Haar neerwaarts krullende mondhoeken gaven haar gezicht een bittere uitdrukking.

'De zelfmoord van haar zus heeft een diepe indruk op haar gemaakt' bracht Louisa in het midden.

'Ja, natuurlijk.'

De lange pozen stilzwijgen waren zo onbehaaglijk dat Louisa eraan dacht zich met een verontschuldiging terug te trekken. Maar weer was de vrouw aan het woord, rustig voor zich uit pratend, als richtte ze zich niet tot een toehoorster.

'Ik heb met opzet over de dood gepraat. Ze moet leren met de essentiële realiteiten omgaan. Ze is geen kind meer. De zelfmoord van mijn dochter heb ik voorzien. Ik heb hem honderd keer in gedachten beleefd. Ik heb naar middelen gezocht om dat te voorkomen. Ik werd er ziek van. Ten slotte heb ik me bij het onvermijdelijke neergelegd. Ze heeft daarvoor gekozen, ze was niet dwaas en niet geestesziek. Haar keus moest gerespekteerd worden. En het leven van de anderen gaat door.'

Na andermaal een sigaret opgestoken te hebben en na minuten lang zwijgend naar de verte gestaard te hebben, vroeg ze langs haar neus weg, met toch iets naijverigs in de toon:

'U zult in Kreta veel vriendschap van haar ondervonden hebben.'

'Ik kon me geen liever gezelschap voorstellen.'

'Het ligt helemaal in de lijn. Ze klampt zich aan iemand vast, een vrouw van gemiddelde leeftijd bij voorkeur, die toonbaar is, en ze komt mij die presenteren. Net alsof ze mij wil duidelijk maken: zo'n moeder had ik gewild, met die kan ik het stellen. U begrijpt dat we met een al te lang gerekt proces van volwassenwording te maken hebben. Ze zit feitelijk nog met al haar vezels aan mij vast, en voor haar welzijn moet ik haar afstoten. Het kost me heel wat, maar het moet. Nu ben ik wel verplicht toe te geven dat ze me dit keer verbaasd heeft. U ertoe brengen uw vakantie in het zuiden te onderbreken en u op sleeptouw nemen tot bij haar moeder, die ze voor een alleronsympatiekst schepsel heeft laten doorgaan, is een krachttoer, waartoe ik haar niet in staat achtte. Misschien verloopt het proces van volwassenwording sneller dan ik gevreesd heb.'

Er lag ironie in die woorden, en ook dépit. En ze kwetsten Louisa. Dat ze zich door Els bij de neus had laten nemen aanvaardde ze niet. Zij zelf was het eerder die zich bij Els opgedrongen had uit zucht om een kleine triomf te beleven bij die geleerde moeder van haar. De zucht van een jaren lang vernederde en vertrapte, die toch eenmaal voor de betere wilde doorgaan. Het woelde in haar. Ze had heftig willen protesteren, ze was geen sloor, ze liet zich niet misbruiken. Ze had haar ervaring, haar leed, haar zorgen, jammer genoeg ook haar onmacht. Die onmacht verlamde haar nu ze stond tegenover de beheerste vrouw, die zelfverzekerd en onbewogen het gemoed van haar dochter ontleedde. Maar die ergens een fout maakte, die Louisa niet te duiden wist, maar die ze aanvoelde met schroeiend pijngevoel. Tranen vulden haar ooghoeken en liepen koel over haar wangen. Met schutterige bewegingen haalde ze een zakdoekje boven en bette langdurig haar gezicht.

'Exkuseer als ik wat cru mijn mening heb gezegd, maar ik meende u een dienst te bewijzen als ik er u attent op maakte dat u niet teveel belang moet hechten aan die affektie. Ze is immers lang niet exklusief.'

Louisa schoot uit.

'U hebt het mis voor. Als ik u wenste te ontmoeten, dan was het omdat ik zelf problemen heb, die gelijken op die van u. Ik sta er versteld van dat u die zo emotieloos kunt afdoen. Ik kan me niet van de indruk ontmaken dat iets heel belangrijks u ontgaat. Ik kan niet uitleggen wat.'

Ze snikte. Het zakdoekje kon de overvloed van oogvocht niet stelpen. Ze voelde zich potsierlijk. Achter haar rug vielen de gesprekken van de andere gasten stil. Alle blikken waren op haar gericht.

Mevrouw Dijlstra kwam achter haar staan. Met gevoelige vingers masseerde ze haar nek.

'Over uw problemen kunnen we na het diner praten. U bent gescheiden, gis ik. En u hebt kinderen. U bent onschuldig en u voelt zich schuldig. Het is klassiek. Hard om dragen maar klassiek. Ik heb het ook meegemaakt. Ik ben uiteraard beter gewapend. Ik stel het me toch voor. Neem nu een warm bad en maak u mooi. U hebt een goed figuur. U kunt nog veel van uw leven maken. Straks eten we samen. We denken voorlopig niet aan al dat akelige.'

Louisa ging op haar bed liggen. Ze voelde zich doodmoe. Was het daaraan te wijten dat ze de koelbloedigheid van Els' moeder niet kon uitstaan? Ze sloot de ogen. De kamer duizelde weg. Laat haar slapen. Niet aan het akelige denken. Aan niets denken. Kon de onrust nu wegebben, kon het metaalzaagje stilvallen, dat op een bot knarste en beelden opriep. Ann, de haren in de war, de ogen wild, wijdbeens hollend door hoog gras naar de spoorwegberm toe, waarop ze klauterde, hijgend, uitkijkend naar links en naar rechts terwijl de spoorstaven trilden en gilden van het aanstormend geweld. Ik haal haar in, ik ben geen twintig meer maar ik haal het, aan het snijdende gras trek ik me de helling op, Ann, Ann, hier ben ik, wacht op mij, we doen het samen. Ze greep naar het rokje, dat scheurde tussen haar verkrampte vingers terwijl boven haar hoofd de trein voorbij raasde en ze te huilen lag op de spichtig begroeide kiezel.

De nachtmerrie weer. Ze zou er eerst echt van verlost zijn als ze Ann veilig in haar omgeving wist. Op adem komen nu. Straks stelde ze een einde aan haar desertie. Straks. Morgen. Het moest.

Werd er geklopt? Niet antwoorden. Doen alsof ze sliep. De manie van de kamermeiden in de grote hotels : 's avonds een hoek van de bedbekleding omplooien en je nachtjapon op het kussen spreiden. Het hoefde niet, ze kon het zelf doen. Toen er weer geklopt werd gilde ze 'empèchée'.

De deur kierde open en Els kwam aarzelend piepen.

'Mag ik binnen?'

Ze droeg een lange jurk, die Louisa niet kende, wit met grote gele bloemen, spits uitgesneden op de rug.

'Cadeau van mijn moeder, pas gekocht in het boetiekje van het hotel.'

'Mooi. Ze is niet zo kwaad, je moeder.'

'Ze meent het goed. Maar je bent nooit op je gemak met haar.'

'Ik heb hetzelfde gevoel, ongeveer. Zou het niet daaraan te

wijten zijn, dat ze in een oogopslag door heeft wat er in je omgaat? Of meent het door te hebben.'

'En het meteen zelfverzekerd formuleert. Je hebt geen eigen schuilhoekje meer. Je voelt je geplunderd.'

'Toch een merkwaardige vrouw.'

'Dat is het nare: je kunt haar niets verwijten, en je voelt je leeggehaald. Maar nu moet je vlug een plechtige jurk aantrekken. Mijn moeder inviteert je. Ze bespreekt met de ober een uitgelezen maal.'

'Een merkwaardige vrouw, het valt niet te betwisten. Eerst een bad. Je moeder heeft me dat aangeraden.'

Terwijl het bad vol liep, pakte Els uit. Zij zou de kledij van haar vriendin kiezen. Niet protesteren. Ze was de hele avond overgeleverd aan dokter Dijlstra en aan de wat ontgoochelende dochter van de geleerde mevrouw. Je kunt de terapie niet naar haar waarde beoordelen als je ze niet volledig doorgemaakt hebt.

'Ik ben niet ziek' wierp Louisa op.

'Wat een kritiekloze bewering! Wie durft het aan staande te houden dat hij psychisch helemaal gezond is en volkomen evenwichtig. Betrouw op de wetenschap.'

Els kon biezonder goed de intonaties van haar moeder imiteren. Toch was het geen giftige spotternij. Ze was opgelucht, ze was over een moment heen, waar ze angstig naar uitgekeken had. Ze werd uitbundig toen Louisa in het hete bad gestapt was. De nieuwe jurk trok ze uit, haar hooggehakte sandalen schopte ze van zich weg, en enkel met een slipje gekleed stond ze Louisa's rug in te zepen. Ze hielp haar na afloop uit het bad en wreef haar met een handdoek in gloei.

'Ik kan me niet herinneren ooit zo vertroeteld te zijn geweest' zei Louisa.

'We hebben geen tijd te verliezen. We mogen mijn moeder niet lang laten wachten. Ga nu zitten. Ik maak je kapsel op.'

'Ik doe het liever zelf.'

'Laat me begaan. Heb je haarspelden?'

Het werd een hoog opgestoken kapsel. Veel jaren geleden, toen ze 'de vlag van de zaak' was, had Louisa haar haar ongeveer op dezelfde manier gedragen. Ze was nog lang niet oud. Ze kon nog heel wat van haar leven maken. Mevrouw Dijlstra had het gezegd. Je zag in dat het goedkope woorden van bemoediging waren, en toch voelde je je er beter door.

'De paarse jurk met de gouden gordel ligt klaar. Die droeg je de eerste dag in Elounda. Hij staat je goed.'

Voor de spiegel zwartte ze haar wenkbrauwen bij en bracht oogschaduw en lippenrood aan. Wat zag het vreemde meisje in haar? Wat zag zij in het vreemde meisje? Ze had argwanend tegenover die affektie gestaan. Ze had nachtmerries gehad, waarin Els een rol speelde. Els tegenover hem, tegenover Geert, Ann, Treesje. Els met niets dan een slipje aan zoals daarnet, weggedoken in de grote bergèrefauteuil, terwijl de hele familie haar te grazen nam. Het had geen zin daarover te piekeren. Het had vooral geen zin er met de moeder over te praten. Ze moest op haar tellen passen.

Els had de wit-en-gele jurk weer aangetrokken en verscheen naast haar in de spiegel. Haar gezicht en haar schouders waren roodbruin bij Louisa's getaande oliekleur. Ze gebruike Louisa's spullen voor haar make-up.

'Je bent mooi, Els. Je hebt het op jouw leeftijd niet nodig veel bij te werken.'

'Ik wil niet ongunstig bij jou afsteken.'

'En bij je moeder. Ze is een knappe vrouw. Heel wat knapper dan ik verwacht had.'

Momenten, die zouden bijblijven. Misschien de laatste intieme momenten met Els. Zou de scheiding pijn doen? Lastige vraag. Vraag die verband hield met de aard van de wederzijdse affektie. Ze was er niet in het reine mee. Laat ons aannemen dat Els bij mij datgene vindt wat ze terecht of ten onrechte meent te missen bij haar moeder. Laat me me zelf een mooie rol toedenken.

Haast met spijt verliet ze de kamer.

Schemerlicht in de eetzaal, kelners in rok geruisloos heen en weer lopend op een wijnrood tapijt, gasten in witte smoking, andere gasten in openstaand sporthemd, de ceremonie met de wijnemmers, de moeder van Els in safraangeel hen met een matte glimlach begroetend, het aperitief dat haar dadelijk naar het hoofd steeg, wijnen geteeld op Zwitserse bergflanken, de schoteltjes met uitgelezen tussengerechten, het losse gepraat over het hotelwezen in diverse landen, over de voor- en nadelen van de nationalisatie van de geneeskunde, het was allemaal onpersoonlijk, bijna officieel, het zou vergeten raken als het niet gevolgd was op het samenzijn in de hotelkamer. Louisa vroeg koffie. Ze moest de mistigheid uit haar hersens verdrijven, ze had een ernstig gesprek met de moeder van Els voor de boeg, en ze kon zich niet te binnen roepen waarover er te praten viel. Opeens voelde ze de aandachtige blik van mevrouw Dijlstra op zich gericht.

'Mijn naam is Lien. Het gemevrouw heeft lang genoeg geduurd. Ook sommige patiënten spreken me met de voornaam aan. Het is niet helemaal volgens de regels. De dokter zou namelijk een gezagsrol moeten vervullen, hetgeen het scheppen van een afstand noodzakelijk maakt. Maar niet alle patiënten zijn gelijk. Van sommigen is het geestelijk avontuur me zo vertrouwd geworden dat ik het haast als het mijne beschouw. Hetgeen uiteraard fout is. Ik ben er me van bewust dat ik fouten maak.'

De glimlach wilde bescheidenheid uitdrukken en meteen tegenspraak uitlokken. De toegegeven fouten waren niet echt fouten, de regels waren het die verkeerd waren. De patiënten, die zo vertrouwelijk benaderd werden, mochten zich bevoorrecht achten.

Een kilte maakte zich van Louisa meester. Ze had een moment van pijnlijke helderheid. De blik van Els kruiste de hare. Het was duidelijk, allebei waren ze geërgerd door dit bedekt uitlokken van lofbetuigingen.

Ik ben onrechtvaardig, dacht Louisa na een poos. Ik laat me op sleeptouw nemen door dit jonge ding. Ik ben weer eens mezelf niet.

Over het tafelblad heen greep een magere hand de hare. 'We hadden onder ons beidjes nog wat te bespreken, maar je bent nu te moe. Je vecht tegen de slaap. Morgen komt er nog een dag. Ik stel een boottocht op het meer voor. Dat is heel aangenaam en het maakt rustig. Er zijn zaken die rust geven. Een weide met koeien bijvoorbeeld. Nerveuze patiënten zouden door grote vensters uitzicht moeten hebben op weiden met koeien.'

Hoe ze in haar kamer geraakt was kon Louisa zich 's anderendaags niet herinneren. Haar jurk hing keurig over een stoel, de vele haarspelden lagen netjes op een rij op het nachtkastje. Els moest haar in bed geholpen hebben. Misschien Els samen met haar moeder. Had ze teveel gedronken? Had ze een beschamende vertoning te zien gegeven. Het had geen belang. Ze voelde zich goed. Sedert lang had ze zo'n verkwikkende slaap niet gekend. Ze belde om het ontbijt en vroeg extra sterke koffie.

Beneden in de lounge wachtten Els en haar moeder op haar. Ze waren aangekleed als voor bar weer in trui, broek en korte regenjas. Een weersverslechtering was aangekondigd, legde de moeder uit. De egaal witte hemel scheen nochtans een rustige nevelige dag te beloven. Ze liepen over de promenade langs het meer, langs de keurig gesnoeide boompjes, de terrassen, de hotels, alles wat doezelig als gezien door beslagen ruiten. Veel bejaarden in gezapige wandelpas. Beschaafde autorijders die de snelheidsbeperkingen stipt naleefden en als over fluweel reden. De witte boot wachtte op rimpelloos grijs water. Ze klommen op het bovendek en strekten zich op ligstoelen uit. Heel hoog cirkelden twee vogels langzaam rond. Een lichtere vlek in het egale wit verried waar de zon zich bevond. Een schuine straal wierp een fel groene veeg op een verre helling. Dan ging de motor harder aan het daveren. De gebouwen schoven weg, werden grijzer, losten zich op in dampen.

Louisa sloot de ogen. Er ontstond in haar een aangename helderheid van gedachten. Je kunt, zo overlegde ze, de dingen op verscheidene manieren benaderen. Je kunt de scheikundige formule opgeven van het water waarop we drijven, berekenen hoeveel lucht er binnen de wanden van de boot voorhanden is, wat uitlegt dat de boot blijft drijven. De lucht is namelijk zoveel lichter dan het water. Je kunt verklaren hoe de plooien in de aardkorst ontstaan zijn, die de bergen rondom opleverden, en hoe er zich humus op hun flanken gevormd heeft, zodat er plantengroei kon ontspringen. Daarmee heb je niets meegedeeld van het genot dat het varen op het meer en het deinend landschap verschaffen. Je kunt een pianosonate helemaal volgens de partituur spelen, met wetenschappelijke nauwgezetheid de opgegeven maten respekterend, en toch niets overbrengen van de ontroering die erin gelegd is. Een begenadigde zal met schroom zijn vingers over de toetsen laten gaan, hopend dat het wonder zich in de klankkast zal voltrekken en zich zal voortplanten rondom en warm en koud maken en je laten voelen dat de dingen meer zijn dan scheikundige formules of een notenschrift aangeven, dat het bestaan diepten en geheimen in zich bergt, die met geen woorden weer te geven zijn. Dat was het wat de moeder van Els niet zag en niet voelde.

Ze opende de ogen. Els en haar moeder waren opgestaan, en leunden over de reling, turend naar de verte. Het zwerk dreef rafelig uiteen en een gezeefde zon wierp zachte glanzen op het meer. Bergen profileerden zich, hun toppen nog met wolkenflarden omhangen. Het landschap deinde in tedere pasteltinten.

'Je hebt geluk dat je zo kunt liggen soezen' zei Lien Dijlstra, die weer naast haar was komen zitten. 'Zelf vind ik nooit de slaap als ik geen tabletje neem. Mijn geest blijft doordraven. Ik moet hem kunstmatig aan banden leggen.'

'Ik soesde niet. Ik dacht na.'

'Het was een heel rustig nadenken dan. Zonder agitatie. Het leek een innerlijke kontemplatie. Ooit met oosterse filosofieën kennis gemaakt?'

Haar 'neen' was kortaf. Het zat haar dwars dat die vrouw alles in hokjes onderbracht. Het werd duidelijk: van haar had ze geen hulp te verwachten. Els had gelijk. Haar moeder ontmantelde je, en liet je dan de elementen zien waaruit je samengesteld was. En je stond versteld van de schraalheid van die elementen.

Ze liet haar hoofd achterover zakken. Heel hoog, af en toe door dunne wolken aan het gezicht onttrokken, wentelden nog de twee vogels, net alsof ze de boot als middelpunt van hun circulaire vlucht gekozen hadden en met de boot mee dit middelpunt verplaatsten. Heerlijk zo op eigen kracht in hoge luchtlagen te kunnen drijven, al de ellende ver beneden zich latend, de mensen vooral, de bemoeizieke mensen, de goedbedoelende kwetsende mensen.

Lien Dijlstra gaf een uiteenzetting over de psychologie

van de kinderen uit gescheiden gezinnen. Ze had studies daarover gelezen en ze had ook eigen ervaringen. Haar ouders waren gescheiden toen ze elf was en kort geleden was ze zelf gescheiden. Het was vroeger een erge zaak. Je werd met de vinger gewezen. Nu was het heel gewoon geworden, bijna zo gewoon als het trouwen zelf. De mogelijkheid van een scheiding wordt bij het sluiten van de echtverbintenis reeds onder ogen genomen. Wie nog aan tradities vast zit, steigert als hij dat hoort. Maar het is een vooruitgang, het is een dedramatiseren van een konflikt. Het is echter bij de afwikkeling van het echtelijk dispuut noodzakelijk acht te slaan op de kinderen. Het volstaat niet dat de ouders het hoofd koel houden en rationeel naar een oplossing zoeken. De kinderen moeten er zonder teveel kleerscheuren doorheen geloodst worden. Niet helemaal zonder kleerscheuren uiteraard. De kleerscheuren zijn niet te vermijden, en ze hoeven ook niet vermeden te worden. Ook de kneuzingen, die jonge mensen oplopen, dragen bij tot hun maturiteit. In die zin kan een echtscheiding van de ouders het proces van volwassenwording vooruit helpen.'

'Als men uw redenering volgt moet men tot de konklusie komen dat een echtscheiding een zegen voor de kinderen is' zei Louisa geprikkeld.

'Een zegen is het zeker niet. Wie zich de visie van Jung eigen gemaakt heeft weet dat een scheiding indruist tegen de orde van de dingen. Ze werpt de kinderen overhoop. En het erge is dat ze het meestal niet laten merken. Ze verdonkeremanen hun ontsteltenis, doen alsof er niets aan de hand is, wrokken in stilte, laboreren aan schuldgevoelens, soms aan angsten en depressies. De wereld, die veiligheid bood, is ineengestort. Ze voelen zich onzeker maar ze willen het aan zichzelf niet toegeven. Ze verkroppen hun verdriet maar zijn er dag in dag uit mee bezig. Ze houden zich stoer, maar hun schoolprestaties gaan achteruit. Dat is een teken dat er wat schort. Soms zijn er onbegrijpelijke woedeaanvallen, verlies van zelfkontrole, en andere narigheden. De ouders kunnen het allemaal moeilijk zelf opvangen. Ze hebben hun eigen emotionele problemen. Dikwijls komen er financiële problemen bij. Ze geven aan de kinderen een heel slechte respons. De enen houden hun kinderen klein om ze te kunnen betuttelen en een uitlaatklep te hebben voor hun emotionele behoeften, en meteen te doen vergeven wat ze verkeerd gedaan hebben. Anderen, vrouwen vooral, bejegenen de kinderen als volwassenen, die de afwezige moeten vervangen. Het ene zowel als het andere is fout. Het ergert de kinderen, ze keren zich af, ondernemen fugues, raken in vertwijfeling, zien de toekomst zwart in, verliezen hun geloof in de mensen, worden een makkelijke prooi voor lieden, die onze maatschappij tot in haar grondvesten willen afbreken. Die lieden zijn meestal zelf mislukkelingen, die met hun eigen verbittering geen blijf weten. Het is om al die redenen nodig dat er professioneel ingegrepen wordt bij de kinderen van de gescheidenen. Wij, psychiaters zullen de handen vol hebben, als het aantal scheidingen stijgt, wat te verwachten is. De universiteiten zullen niet genoeg psychiaters kunnen afleveren.'

Louisa's ergernis was geleidelijk toegenomen. Ze voelde het moment naderen dat ze zich niet meer zou kunnen beheersen.

'Ik begrijp niet' zei ze met trillende stem 'dat u dat zo koel kunt benaderen.'

'Het is nu eenmaal mijn vak.'

'Ik begrijp het niet... Na wat er met uw dochter gebeurd is. Ik zou kapot zijn. Ik heb twee dochters en een zoon. De oudste, Ann, geeft zorgen. Ze is momenteel bij haar vader, en ze haat haar vader. Ik hield het op Kreta niet uit. Ik dacht voortdurend aan haar. Nooit is ze depressief geweest. Integendeel, al te gretig, als u begrijpt wat ik bedoel. Ik heb geen reden om te vrezen dat ze zou doen wat uw dochter deed. En toch zag ik het keer op keer gebeuren. Het was vreselijk. En u, die kort geleden zo'n tragische ervaring hebt gehad, u praat over die zaken als over een scheikundige formule. Het is niet menselijk.'

'Het is integendeel heel menselijk. Het is het rationeel doorlichten van emoties, een bij uitstek menselijke aktiviteit.'

'Het rationele ligt u hoog. Het verstikt de rest. Dat noem ik onmenselijk. Ook Els voelt zoiets aan. Vergeef me, mevrouw Dijlstra, Lien Dijlstra, u hebt wellicht uitstekende bedoelingen, maar u maakt me ziek.'

De boot zou aanleggen onder Montreux. Het kasteel van Chillon tekende zich donker af tegen de blauwe verte.

Louisa zocht de twee kringende vogels, vond ze niet. Naast haar klonk de zakelijke stem.

'Ik laat u. Straks zien we elkaar terug. We gaan het kasteel bezoeken, Els en ik. Niets voor u, die moordkuilen en foltertuigen. Nog dit wil ik kwijt. We hadden het over de problemen van de kinderen. Maar zelf hebt u de zaak nog niet verwerkt. U hebt hulp nodig. Ik wil uw problemen wel even met u bespreken, maar ik voel dat ik u niet helpen kan. U bent tegen mij vooringenomen. U hebt teveel met Els gepraat om onbevooroordeeld naar mij te luisteren. Ik neem het haar niet kwalijk. Ik weet hoe ze lijdt onder de houding, die ik tegenover haar aanneem, en die ik in geweten moet aannemen. Ik kan u een kollega uit Utrecht aanbevelen, een mannelijk kollega. Een man kan u beter helpen. Een man is onpersoonlijker. Een vrouw aanvaardt makkelijker van een man dat hij een zakelijke kijk heeft op de dingen die haar betreffen. Jammer dat de afstand zo groot is. U zult twee séances van een half uur per week nodig hebben.'

'Ik hoef helemaal geen psychiater... Ik zei het reeds, u maakt me ziek.'

Lien Dijlstra stond op en legde haar hand op Louisa's voorhoofd.

'Houd u kalm. Het dient nergens toe zich op te winden. Soes wat terwijl de boot stil ligt. De zon komt er geleidelijk door. Het wordt een mooie dag. De voorspellingen zijn mis.'

De vogels, dacht Louisa, waar blijven mijn vogels, die gunstelingen van de schepping, die hoog boven het ellendige gedoe mogen zweven?

'Ik zal inlichtingen inwinnen. Er moeten in uw streek ook bekwame psychiaters zijn. Ik zal u schrijven. U hebt het nodig, geloof me.'

Het ging te ver. Louisa schoot uit.

'Waarom heb ik het nodig? Omdat ik eraan kapot zou gaan als mijn kind zelfmoord pleegde? Is dat zo gek? Is het niet veel keren gekker daarover te praten zoals u doet, als over een fait divers op een andere planeet?'

'Ik neem u niets kwalijk, maar ik vraag u zich niet meer met Els in te laten. Uw invloed kan verderfelijk zijn. Ik heb het lastig genoeg om haar over haar zwakheden heen te helpen.'

Met een ruk keerde ze haar de rug toe en ging naast haar dochter op de voorsteven staan.

Ik heb haar gekwetst, dacht Louisa. Ze kookt maar weet zich te beheersen. Ze neemt wraak op haar manier. De vriendschap met Els moet stuk. Om haar wraaklust te koelen gebruikt ze wat ze onder de hand heeft : haar dochter. Ze doet me meer pijn dan ze kan beseffen. Ze doet ook Els pijn. Dat neemt ze erbij. Ze verstevigt meteen haar greep op haar dochter. En ze beweert dat ze haar van zich af moet stoten om haar volwassen te laten worden. Diabolische vrouw. Geen dag langer blijf ik in haar gezelschap. Hoe kan Els het volhouden? Hoe kon haar man het? Vijfentwintig jaar ongeveer moeten ze samen gewoond hebben. Vijfentwintig jaar met een vrouw zonder hart. Een levenslustige man, zegt Els, een pretmaker, een kind in de ogen van dit monster van wetenschap. Een kind dat ze moest opvoeden, een weerbarstig kind dat zich niet beleren liet. Je wordt het ten slotte beu je er met kwinkslagen door te slaan. De fantasie raakt uitgeput. En dan komt de humeurigheid, de verveling, de korzeligheid. Dan komt de andere, jongere, die niet alles bekijkt door die afschuwelijke vervormde bril, die je neemt zoals je bent. Je hebt gelijk, onbekende vader van Els. Je hebt duizend keer gelijk. Je hebt even veel gelijk als ik.

Ze sloot de ogen. De opwinding ebde weg. In de plaats kwam onrust. Ze lag in het gezeefde licht, dat prettig haar huid beroerde. Dichtbij klotste water tegen een steiger. Om haar heen zaten keurige mensen zachtjes te praten. Verderaf bomen, bloemen, landhuizen. Nog verder bergen als vriendelijke wolken, die met onzichtbare touwen aan de aarde gemeerd lagen en geen andere bestaansreden hadden dan de bewoonster van de lage landen een lieflijk vergezicht te bieden. Dit is een oord, Louise Van Gassel, dat voor de verkwikking van zieke zielen gemaakt is. God heeft het zo geschikt dat er enkele zulke plekken op de planeet uitgespaard zijn. Prijs je gelukkig dat je er mag vertoeven.

De onrust liet zich niet bedwingen, haar hart bleef bonzen. Gelijk of ongelijk, dat was de vraag. Had de vader van Els gelijk? Daarnet had ze het vanzelfsprekend gevonden. Ze was heftig tegen de vrouw uitgevaren. Verdiende de vrouw het? De ergernis wekkende zakelijkheid waarmee ze haar eigen lot afdeed, en die schraalheid van gemoed te raden gaf, kon een poze zijn, waaraan ze zich overeind hield om niet in mekaar te stuiken. Poze uit zelfbehoud. Ze was een verlaten vrouw, tot in het merg van haar gebeente vernederd, beklagenswaardig in de grond, al sloeg ze zichzelf zo hoog aan. Heel wat beklagenswaardiger dan Louisa, die het uit eigen beweging opgestapt was. En die terugkeren kon, als ze het wilde. En die met open armen ontvangen zou worden. Door Ann, door Treesje, door Geert. En ook door hem. Het meest nog door hem. Omwille van zijn trots, omwille van het onverdeelde vermogen. Omwille van zijn vrienden, medewerkers, bedienden. Ze hoorde het hem uitleggen: konflikten komen overal voor, maar verstandige lieden zoeken naar een oplossing, die geen stukken maakt. Nooit ging het in ons gezin zo goed als nu. Zie haar, bewonder haar, de moeder van mijn kinderen, bruin van haar vakantie in het zuiden, blij terug thuis te zijn. Ze straalt, ze is tien jaar verjongd.

Waar was de haat gebleven? God nog aan toe. Als ze haar grieven op een rijtje had gezet, destijds bij de advokaat, en kort geleden toen ze het er met Els over had, dan leek het haar een hoopje as. In de zuivere lucht van het meer vond ze de as niet meer terug.

Laat ons ernstig zijn. Het was niet draaglijk. Ze had de stap niet lichtzinnig gezet. Ze had er maanden over getobd. Misschien zelfs jaren. Haar zelfrespekt dwong haar er een eind aan te stellen. Datzelfde zelfrespekt moest er haar nu van weerhouden het hoofd in de schoot te letten. Hij zou triomferen als ze het deed. Ze mocht hem die triomf niet gunnen.

De kasteelbezoekers waren er terug. Een voor een werden ze aan boord geholpen door twee matrozen. Daar Lien Dijlstra en haar dochter Els. Els met neergeslagen ogen en rood aangelopen gezicht. Els die vermeed haar aan te kijken. De moeder had haar gekapitteld. Ze stelde het zich voor: je bent geen kind meer. Je hebt je laten betuttelen door die vreemde vrouw. Het was misschien niet kwaad tijdens je eenzame vakantie. Het hielp je over een moeilijke fase heen, zo hoop ik toch. Maar het is de hoogste tijd dat je je ervan los maakt. Zoniet word je nooit volwassen.

Was het nodig dat een kind als Els volwassen werd in de zin, die haar moeder bedoelde? Moest ze zich pantseren en stoere pozes aannemen zoals haar moeder? Zou aldus niet het heel eigene en heel kostbare, dat in Els school, doodgedrukt worden?

Louiza had smartelijk met Els te doen. Een diep rankend gevoel was het, waarin ook de moeder betrokken was. De vrouw had immers eerlijke bedoelingen, er viel niet aan te twijfelen. Met de beste bedoelingen en een massa wetenschappelijke bagage verwoestingen aanrichten, hoe kon het bestaan? Tot welk een verbijsterend soort wezen had de evolutie van het ras geleid?

En wie was zij, Louiza Van Gassel, dat ze zich het recht kon aanmatigen vernietigend over Lien Dijlstra te oordelen?

Ze lunchten op de boot. Op het tussendek werd er geserveerd terwijl de oever langs de ramen voorbij gleed. Tegenover haar Lien Dijlstra en Els. Els die zweeg. Lien Dijlstra die weinig at en veel praatte. Over kalorieën en vitamines. Over haar dieet, meer vis dan vlees, een minimum aan meelstoffen, proportioneel veel fruit en rauwe groenten.

Even flitste de blik van Els in haar richting, een vochtige blik, maar schalks, ondeugend, verstandhouding te kennen gevend. De mondhoeken krulden erbij op. Het was zoveel als zeggen: laat haar praten, laat ons doen alsof we het allemaal belangwekkend vinden, we weten beter.

Een warme golf sloeg door Louisa heen. Els zou zich door haar moeder niet laten strikken. Ze zou trouw blijven aan de toevallige vakantievriendin, die ruimschoots oud genoeg was om haar moeder te zijn. Waarheen moest het leiden? De vraag hield haar de hele duur van de boottocht bezig. Morgen was ze weg. Morgen nam ze de trein naar België. Morgen had ze Ann, Geert, Treesje, en hem. Morgen zou ze weten of de angst om Ann ergens op steunde. Morgen mogelijks de knieval, de vernedering. Morgen geen Els meer. Gedaan, uitgewist, het hoofdstuk afgesloten, een heel kort hoofdstuk, daverend van opgezweept gevoel. Kon een mens zo ongenadig het blad omdraaien en verder leven alsof die dagen er nooit geweest waren?

Ze had spoorkaartjes laten reserveren door de receptie en ze was op haar kamer bezig met het inpakken van de kleren, die Els uit haar koffer had gehaald en in de hangkast opgehangen, de lange paarse avondjapon, de zonnejurken, de gestreepte wijd staande rok, de luchtige kleren die in het noorden zo weinig gedragen konden worden, de jurken die altijd weer aan Els zouden doen denken.

Adieu vakantie, adieu blauwe ruimten, oleanders en bougainvillea's, zon en weelde van het zuiden. Adieu, lieve jonge vriendin.

Ze ging op het bed liggen. Ze niet meer ontmoeten. In stilte verdwijnen. Zich in de eetzaal van het hotel niet meer laten zien. Liever iets gebruiken in een snack van de buurt. Morgen heel vroeg een taxi laten komen om haar naar het station te rijden. Geen dubbelzinnigheden met Els. Geen poze van welwillendheid tegenover de zelfverzekerde, niet begrijpende en, in weerwil van de schijn, ongelukkige moeder. Het blad gekeerd, het nieuwe hoofdstuk resoluut aangepakt, het hoofdstuk waarin ze zich storten moest als in kolkend water. Ze zou zich verwonden, ze wist het vooruit. Maar het moest, het was een heilige plicht.

Ze voelde zich week worden. Medelijden met zichzelf deed tranen wellen, die ze met de zijden bedsprei bette. Ze keek verbijsterd naar de zich uitbreidende vochtvlekken op het lichtblauwe weefsel, toen er geklopt werd. De zorgen, die in die luxehotels aan de gasten besteed werden, werkten beslist op de zenuwen. Ze had weer eens nagelaten het bordje met 'do not disturb' aan de deurkruk op te hangen. Nijdig riep ze: 'entrez'.

Els viel ontstuimig binnen, bleef even onbeweeglijk staan, op haar neerkijkend, bemerkte haar betraande ogen, lachte verkrampt stortte zich op haar, en zoende vochtig haar voorhoofd.

'Weet je dat ik bij jou niet komen mag van mijn moeder? Ik heb het moederlijke verbod getrotseerd. Ik ben een onwaardige dochter.'

'Je bent meerderjarig. Ze zou er rekening mee moeten houden.'

'Meerderjarig, maar volgens haar opvattingen niet volwassen.'

'Wie is in haar ogen volwassen? Ik veronderstel dat je vader het niet is. En ik ben het zeker niet. Wat zegt ze over mij?'

'Niet veel liefs. Ik brief het liever niet over.'

'Ik wed dat ik een psychiatrisch geval ben.'

Els lachte. Het was een haast gulle lach.

'Het komt erop neer. Maar daar hoef je geen zorgen over te hebben.'

'Wees gerust. Morgen ga ik naar huis. Daar wachten me andere zorgen.'

'Morgen reeds?'

'Het treinkaartje is besteld. Het is hier mooi, maar ik houd het niet uit. Niet omwille van je moeder, al werkt ze me op de zenuwen. Maar ik vrees voor thuis. Ik leef in angst om wat er daar gebeurt. Je weet dat ik reeds in Elounda onrustig was.'

'Bericht ontvangen?'

'Geen woord.'

'Geen nieuws, goed nieuws, zegt men. Ik had andere plannen, maar die geef ik dan ook op.'

Louisa voelde een ijle tinteling van vreugde. Het was duidelijk: in de plannen van Els was zij betrokken. De konfrontatie met de vreesaanjagende situatie thuis kon ze nog een tijd uitstellen. Een tijd nog zich koesteren in die onverklaarbare vriendschap. Het zou verkeerd zijn, over de hele lijn onverantwoord. Maar het lokte. Hoe smartelijk lokte het! Amper hoorbaar lispelde ze: 'Welke plannen, als ik onbescheiden mag zijn?'

Els schudde heftig het hoofd.

'Gekke plannen. Of niet zo gek. Ik dacht: we zijn dwaas

geweest Kreta voortijdig te verlaten. We hebben daar recht op nog enkele dagen pension. Waarom er geen gebruik van maken?'

'Het kan niet. Mijn vakantiebudget is zo goed als opgebruikt. En ik ontzie me de reis met de vele etappes.'

Er volgde een lange stilte. Ze zaten naast elkaar op het hotelbed en beseften allebei dat het uur van scheiden geslagen was. Laten we er spoedig mee gedaan maken, dacht Louisa. Ik ben de oudste, ik moet de verstandigste zijn. Ze legde haar hand op de schouder van Els.

'Ga nu naar je moeder. Verknoei het niet teveel met haar. Je zult ze hoe dan ook nodig hebben.'

Onder haar hand ging een schok door het jonge lichaam.

'Het verdomde geld zou ik ook van mijn vader kunnen krijgen, als hij zich nu niet in Schotland amuseerde'.

Louisa voelde zich tot edelmoedige verzaking geroepen.

'Al was het omwille van het verdomde geld, ga naar haar toe. Eigenlijk houdt ze van je. Op haar manier natuurlijk, een verkeerde manier, neem ik aan. Je kunt het haar niet erg kwalijk nemen. Ze heeft zichzelf niet gemaakt. Iedereen is weleens onhandig en kwetst zonder het te willen. Ik ook. Jij waarschijnlijk ook. Als mensen, die geroepen zijn om met mekaar te leven, niets van elkaar kunnen verdragen wordt de wereld onbewoonbaar.'

De woorden, die ze niet meende volgden elkaar op in een kabbelende stroom. Ze hoorde zichzelf overjarige wijsheid spuien, waar ze niet achter stond. Wat had ze zelf van haar man kunnen verdragen? Niet aan denken. Nog niet aan denken. Onder haar hand trilde een jong leven, in het wild gelokte hoofd werd een tweestrijd gestreden. Ik ben vriendin, maar geen bondgenote, dacht ze. Al brand ik van verlangen om bondgenote te zijn, al begrijp ik de afschuw, al haat ik de moeder met wie ik solidair zou moeten zijn, met wie ik te doen heb. Water en vuur zou ik willen verzoenen.

Met een ruk stond Els op, liep zonder een woord naar de deur, trok die deur met een helmende bons dicht.

Geen afscheidszoen, niet eens een groet. Soit. Ze had het zo gewild: stiekem verdwijnen, zonder omhaal, een zuiver doorknippen van de binding, de afgesloten fase laten zijn wat ze in werkelijkheid was, dagen van overspanning, waarin illusies ontstonden die kant noch wal raakten. De hitte speelde een rol, het landschap, de wijn, het schouwspel dat de mooie Française en de man met het verminkte gezicht te zien gaven, Els, vakantievriendin, vakantiedochter, tegelijk met de vakantie in het verleden verzwonden. Zoals zoveel dingen verzwinden, dingen, waarvan je verwachtte dat ze je leven overhoop zouden gooien. Best zo. Ze had andere dingen aan de hand. Hoewel het pijn deed. Het was niet zoals ze het gewild had. Ze had het initiatief voor het woordenloze afscheid zelf willen nemen. Als een dief in de nacht verdwijnen, een zachtaardige dief, die geen andere bedoeling had dan emoties te vermijden. Els had zich het initiatief aangematigd, en ze had het brutaal afgemaakt. Met een bonzen van de deur. Dit bonzen zinderde na. Het vernietigde iets, wat hoe dan ook mooi was geweest. Het beschadigde voorgoed de herinnering. Els had ontgoocheld. Ze had dat niet verwacht. Ze moest het erbij nemen. Het zou de scheiding lichter om dragen maken, het omkeren van het blad, het uitwissen van een beeld, het uitroeien van een gevoel.

Ze stond op, borstelde langdurig haar haar en stak het op zoals Els de vorige avond had gedaan. Ze was een donkere verschijning in de spiegel. De bijgewerkte ogen stonden groot, de wenkbrauwen waren ver uitgelijnd. Onwillekeurig had ze de kurve onder de slapen doorgetrokken zoals ze bij Els' moeder had opgemerkt. Die vrouw liet haar niet los. Moeder en dochter lieten haar niet los. De knappe nog aantrekkelijke moeder. In de ogen van een vrouw aantrekkelijk. Misschien niet in de ogen van een man. Ze liep met haar wetenschap te koop, volgde rechtlijnige gedachtengangen, draafde door op verkeerde sporen, was er niet af te brengen. Stel je voor dat die vrouw met Herbert Van Gassel getrouwd was. De zich voor superieur houdende Lien Dijlstra met de zich voor even superieur houdende Herbert Van Gassel. Superioriteiten op verschillende vlakken. Voor de ene het binnenwerk van de hersenen, voor de andere realisaties die je kunt aanwijzen en die geld opbrengen. En elkaar treffend aan tafel, in bed, met kinderen om zich heen, andere kinderen dan die welke ze allebei hadden, ander uiterlijk, andere aanleg, onvoorstelbare kinderen. Het toeval van de ontmoetingen dat kettingreakties tot gevolg heeft in geslacht en geslacht. Om bij te duizelen. Elke daad kan verre repercussies hebben. Zelfs een woord. Zelfs het lawaaierig dichttrekken van een deur. Welke gevolgen zou na verloop van jaren haar scheiding hebben? Voor haar zelf, voor Ann, voor Geert, voor Treesje. Was er bij haar niet reeds een proces van verwording op gang gekomen? Ze hechtte zich met een onredelijke passie aan een vreemd kind. Ze gleed af. Een buitenstaander zou dadelijk de vinger op de wonde leggen. Die gehechtheid is maatschappelijk niet aanvaardbaar en moreel te verwerpen. Je geweten klaagt je aan, niet met zedenlessen, maar met beelden. Je ziet met Ann gebeuren, wat er met de zus van Els gebeurd is. Je ziet haar de dood zoeken. En de angst laat je niet los. De angst is je kleverige metgezel.

Ze ging zitten in de stoel voor het raam. Nog een avond en een nacht moest ze in Geneve doorbrengen. Een snack zoeken om zich niet in de eetzaal van het hotel te moeten vertonen. Ze had het gepland, het viel haar te binnen. Het liep naar acht uur. Onder de straatlampen waren verlichte kegels uitgespaard op de paarsroze schemering. De hemel was glashelder. In die helderheid te staren wekte nostalgie.

Er werd op de kamerdeur geklopt, nerveus, drie keer vlug na elkaar. Misschien werd er al eerder geklopt en was het niet tot haar doorgedrongen. Ze stond op en liep naar de deur. Ze zou de kamermeid beslist op haar nummer zetten.

Het was Els met koffer, regenmantel en een gekke strohoed schuin op het hoofd.

'Mag ik binnen?'

Ze liet zich op het bed neer.

'Het is zover' zei ze.

'Wat is er zover?'

'De breuk met mijn moeder. We kunnen niet meer samen leven. In gemeenschappelijk overleg hebben we het beslist.'

'Alles goed en wel, maar waar wil je heen?'

'Om te beginnen reis ik met jou naar België. Daarna zullen we zien.'

'Weet je moeder dat?'

'Ik heb het haar gezegd. Ze steigerde.'

'Ik kan het me voorstellen. Ik heb een verderfelijke invloed op je, heeft ze me gezegd. Ik ben een beletsel voor je volwassenwording.'

'Daar gaat het precies om. Ik heb betoogd dat het net andersom is. Jij hebt mij nodig, heb ik gezegd. Je ziet ertegenop met je familie gekonfronteerd te worden. Je kunt het alleen niet aan. Je hebt hulp nodig. En behalve ik is er niemand die je die hulp kan geven. Ik heb dus een rol te vervullen, een rol van volwassenen.'

'Heeft ze dat geslikt?'

'Weet ik niet. Ze heeft niet gerepliceerd. Ze wilde alleen niet dat ik financieel van jou afhankelijk was. Vader en moeder allebei medici en een dochter die zich door een gescheiden vrouw laat onderhouden, dat vond ze al te gortig. Waarop ik inhaakte: geef me dan de middelen om financieel onafhankelijk te zijn.'

'En?'

'Ze heeft me een check gegeven waarmee ik het zes maand kan rooien.'

Ze schoten allebei in een lach. De strohoed zwierde door de kamer. Ze vielen schaterend achterover op het bed.

'Nu vlug een spoorkaartje voor jou bestellen. Daarna zoeken we een eethuisje in de buurt op. Vannacht kun je hier slapen. Het is toevallig een dubbel bed.'

7

De vrolijkheid was andermaal voorbij. Ze zaten tegenover elkaar in de trein die hen naar Brussel reed. Vier, vijf uur of meer zouden ze daar zitten, ze hadden niet geïnformeerd naar de duur van de reis.

Louisa sloot de ogen. In het nabije verschiet lag haar leven van gescheiden vrouw. Koken voor Ann en Treesje, afstoffen, schoonmaken, kleren klaar leggen, kleren verstellen. Geen huispersoneel, ze had zich voorgenomen alles zelf te doen. Ze wilde tonen dat ze het aankon. En de eenzaamheid van de weekeinden, die Ann en Treesje bij hem moesten doorbrengen. Om de veertien dagen zou ze Geert twee uur bij zich hebben. Meer mocht niet omwille van zijn studies, waarmee hij last had. Tot nog toe waren er slechts twee eenzame weekeinden geweest. Ze was ze doorgekomen zonder neerslachtig te worden. De opwinding waarmee de beslissing getroffen was, bleef nog nawerken. De inrichting van de flat en de voorbereiding van de reis eisten haar aandacht op. Dat was nu voorbij. Ze stelde zich niet voor wat er in de plaats zou kunnen komen om de zondagen op te vrolijken. Naar de klub gaan, waar ze vage vrienden had, lokte niet. Jammer van het lidgeld. Vrees voor vragen hield er haar weg, vrees voor medelijden, vrees voor afkeurende blikken, vrees voor de inhalerigheid van mannen, die de naam hadden graag te profiteren, vrees ook voor de jaloersheid van de vrouwen van die mannen.

Door honderd vrezen geremd zou ze zich opsluiten en verdorren. Boodschappen doen bleef over, de enige aktiviteit, die het gevoel kon geven dat ze nog meetelde. Ze had een royale alimentatie, hij had niet gepingeld, zijn trots liet het niet toe. Ze kon ongeveer kopen waar ze zin in had. De verkoopsters zouden de professionele vriendelijkheid aan de dag leggen, die ze gewend was. Ze zou haar aankopen moeten verleggen. De warenhuizen en de winkels van het centrum zou ze in het vervolg vermijden. Daar immers kwam hij, liep bankgebouwen in en uit, hield zakendiner's, daar kon hij zijn jaguar parkeren naast haar driepaardje. Stel je voor dat hij haar onverhoeds bij de arm nam en in het openbaar de alles vergevende echtgenoot uithing.

Ze werd gewaar dat de angst een oorzaak had, waarvan ze zich tot dan toe niet bewust was. Hij was het, die haar angst inboezemde. Niet Ann. Niet in de eerste plaats Ann. Niet meer in de eerste plaats Ann. Het vreselijke was nu hem onder de ogen te komen. En ze reed met een snelheid van meer dan honderd per uur naar die ontmoeting toe. Elk stationnetje, waarlangs de trein met een schril gefluit raasde was een etappe. De afstand slonk met de suizende vaart van de trein.

Ik ben zwak, dacht ze. Ik beef voor die man hoewel ik zeker weet dat hij me geen kwaad wil. De moeilijkheden ontwapenen mij zoals ze mijn vader ontwapenden.

Ze had meteen het gezicht van haar vader voor ogen zoals het was de dag van het faillissement, de verbijstering in zijn blik, de hunkering om begrip. Er zijn mensen die voor hun tegenslagen steeds de schuld aan anderen geven, de ondergeschikten, de konkurrenten, de regering, de verstikkende reglementering, omstandigheden waarop ze geen vat hebben. Er zijn er anderen die het steeds aan zichzelf wijten, aan hun tekortkomingen, onkunde, gemis aan vooruitzicht. Tot de tweede soort behoorde haar vader, en behoorde ook zij. De eersten worden gestaald door wrokkigheid en slaan er zich door. De andere soort laat zich onder de voet lopen. Ze had hevig met haar vader te doen. Het gezicht van de vernietigde grijsaard had zich in haar herinnering vastgezet. Ze kon zich niet voorstellen dat hij ooit anders geweest was dan op die fatale dag, ooit anders dan heel oud, versleten, futloos, smekend om begrip. Was hij ooit ongedwongen vrolijk geweest, had hij ooit gestoeid? Ze wist het niet. Uitgeblust en gekromd onder het gezag van de man die de zaak uit het puin had doen herrijzen, zo zag ze hem. Geen zes maand had haar vader haar huwelijk overleefd. Het was net alsof die tragiek pas nu tot haar doordrong.

Was ze er toen ongevoelig voor geweest? Ze moest het aan zichzelf bekennen: ze liep niet over van begrip. Misschien was ze zelfs hardvochtig geweest. Ze had haar taak, haar lessen, haar leerlingen, een paar verkleefde leerlingen, enkele kleine vijanden, die haar tics nabootsten en onheuse dingen over haar vertelden, ze had de stille verering van de lange leraar van de poësisklas. Ze had haar wereld en de zorgen van haar wereld. De ineenstorting van het ouderlijke bedrijf was een onverdiende klap. Men had haar in de onwetendheid gelaten over de neergang. Van de ene dag op de andere zat de familie aan de grond. Geen wonder dat ze wrokkig was. Geen wonder dat ze het goed wilde doen met de zelfverzekerde redder. Vae victis. Net als het vulgum pecus had ze de zijde van de overwinnaar gekozen en de vernietigde had ze aan zijn ellende overgelaten. Het leven had zich aan haar gewroken. De triomfator had nadien ook haar verpletterd.

Ze staarde door het venster. Dorpen in de vouwen van heuvellandschappen wentelden voorbij, rechthoekige akkers, bospartijen, telefoondraden, die klommen en daalden, op en neer zoals de gang van een leven. Op haar leeftijd was er geen opgang meer te verwachten. Het zou ononderbroken neerwaarts gaan. Tot het einde kwam.

'We hebben allebei een mistroostige bui' zei Els, zo onverwacht dat Louisa schrok. Ze merkte dat haar vriendin beschreide ogen had. Meteen wiste ze zelf overtollig vocht uit haar ooghoeken. Medelijden met zichzelf maakte haar week, een verlammend gevoel waartegen ze moest vechten.

'Wat ging er je door het hoofd' vroeg ze. 'Zorgen over je toekomst?'

'Niet precies dat. Of misschien ook wel. Ik bedacht dat ik niet graag zou behandeld zijn zoals ik mijn moeder behandeld heb.'

'De spijt komt wat laat. Ik heb aangedrongen opdat je het goed zou maken met haar.'

'Je bent er voor niets in tussen, dat is duidelijk. Ik bedacht dat mijn moeder heel sterk moet zijn om overeind te blijven na al wat er haar overkomen is. Eerst vader die met een jonge vrouw een vrolijk leventje gaat leiden. Dan Truus. Dan ik. Truus, dacht ik, moet het ergste geweest zijn. Maar eerst kwam die andere vrouw. Ik heb haar als een indringster beschouwd. Ik nam het vader kwalijk, al begreep ik hem. Hij en moeder hebben immers te uiteenlopende belangstellingen en betrachtingen. Ik nam het ook moeder kwalijk. Omdat ze was zoals ze was, omdat ze geen inspanning deed om het vader naar de zin te maken. Ik besefte nochtans dat die inspanningen niets zouden uitgehaald hebben. Als men vijfenveertig is herkneedt men zichzelf niet meer. En als men het probeert slaat men een potsierlijk figuur. Maar de vernedering moet vreselijk voor haar geweest zijn. Dat besef ik pas nu, nu ik haar op mijn beurt klappen heb toegebracht. Ik dacht toen enkel aan me zelf. Toch kon ik moeilijk anders handelen. Je hebt haar gezien, je hebt haar gehoord. Je moet van bij haar vandaan als je iets van je zelf wilt overhouden. Kon ik volgens jou anders handelen?'

Louise staarde door het treinvenster. Nog steeds heuvels, dorpen, neergelaten slagbomen met schrille belletjes, een overtrokken hemel, de op- en neergang van telefoondraden.

Kon Els anders handelen? Kon zij zelf anders handelen? Els was een gevoelig kind. Dat had ze meteen opgemerkt toen ze het had over haar ervaringen in een kroegje van Elounda. Ze begreep die mensen. De stoornis, die de toeristen in hun wereld brachten, ging haar ter harte. Ze had gevoel en begrip voor anderen. Maar nauwelijks voor haar moeder.

De trein ratelde over een kruisnet van spoorstaven. Een belangrijk station naderde. Mulhouse reeds. Het werd tijd dat ze uitmaakte welke houding ze straks zou aannemen. Ze kon zich met de problemen van Els niet inlaten. Zelf had ze genoeg aan het hoofd. Maar het aanhankelijke kind verlangde het zo hartstochtelijk. God, welke verantwoordelijkheden laadt ge op zo zwakke schouders als die van Louisa Van Gassel!

Ze glimlachte moe.

'Neen, Els, zoals ik je moeder heb leren kennen, kon je moeilijk anders handelen.'

Een dankbare glimlach beloonde haar. Die glimlach betekende: goed dat jij me begrijpt. Dankbaarheid ontroert. Ze versterkt je gevoel van eigenwaarde. Als ze met zijn tweeën alleen in de coupé waren geweest, zouden ze elkaar in de armen gevallen zijn. Het was een kortstondige hevige emotie.

Bij Louisa kwam er dadelijk een bittere nasmaak. Ze had de dankbaarheid verdiend door verraad te plegen tegenover het kamp waartoe ze behoorde, het kamp van de moeders. En ze had andermaal de banden met Els versterkt en haar terugkeer bemoeilijkt naar waar ze thuis hoorde. Waarop moest het uitlopen?

Waarop moest het met Ann uitlopen? Laat ze niet opnieuw het einde van Truus beleven, laat ze die nachtmerrie voorgoed uit haar gedachten bannen. Ann was gretig, wild, onbesuisd, verslingerd op wat er te genieten viel, hoegenaamd niet het neerslachtige type van Truus. Al te gretig wellicht, al te onbesuisd, ze kon te pletter lopen. Maar neen, ze was kerngezond, ze had een ontwapenende zelfverzekerdheid over zich. Onder het gebulder van haar vader kon ze onbewogen blijven, schijnbaar onkwetsbaar, en zich achter het gesloten voorhoofd voorbereidend op de tegenzet, die de gewichtige man tot in de ziel zou treffen.

Zij, haar moeder, was de tegenzet. Met vernuftige influisteringen had ze haar moeder ertoe gebracht de scheiding aan te vragen. Ze was er zelfs in geslaagd het argeloze Treesje voor haar opzet te winnen.

Louisa zuchtte. Wie was ze dat ze zich door haar bakvis van een dochter liet maneuvreren? Moest ze de geweldenaar te voet vallen, het leven met hem hernemen, dulden tot ze erbij viel?

'We zien ertegen op' zei ze halfluid 'terug te komen op een beslissing, die we getroffen hebben, en die op het moment dat we ze troffen, definitief leek.'

Ze merkte dat Els haar verbijsterd aanstaarde.

'Exkuseer, ik zei het in het algemeen. Jouw geval had ik niet op het oog. Ik redeneerde in het vage. Een beslissing valt, we verkeren dan in een bepaalde gemoedstoestand, maar die blijft niet aanhouden. Later slaat de stemming om en we zien het anders. Toch zullen we er niet op terugkomen. We zijn te trots. We willen aan ons zelf niet toegeven dat we ons vergist hebben.'

Ze hoorde met verbazing zichzelf die woorden uitspreken.

Vooraf had ze de bedenking geen vorm weten te krijgen.

'Ik geloof niet' zei Els 'dat trots er bij mij mee te maken heeft. Ik kon gewoon met mijn moeder niet leven.'

'Ik had jouw geval niet op het oog, ik herhaal het. Ik dacht aan me zelf...'

'Je denkt eraan bij je man terug te keren?'

'Zo ver is het nog niet, lang niet.'

Verder dan ik aan me zelf wil toegeven, dacht ze. Al heb ik schrik van hem onder de ogen te komen. Misschien schaam ik me. Misschien ligt schaamte aan de grond van de vrees. Ik heb hem die ene keer het hoofd geboden. Het kalfaterde mijn zelfrespekt op, ik liet niet eindeloos met me sollen, ik onsnapte aan zijn dominantie, er viel met me rekening te houden...

En nu schoorvoetend terugkeren, zich klein maken om nog een plaatsje te mogen innemen in het grote huis, zijn huis, het huis van haar jeugd, van haar ouders, het huis vol herinneringen. Hoe dierbaar was het haar. Ze besefte het pas nu. Zoveel besefte ze pas nu. Geen andere vrouw had haar plaats ingenomen, daarvan was ze overtuigd. Hij behoorde niet tot de soort die het met een sekretaresje zou aanleggen. Het zou een tuimelen zijn van het voetstuk, waarop hij zichzelf zag prijken. En een Adonis was hij bepaald niet. Al maakt geld recht wat krom is en al bulkte hij van het geld. Was het werkelijk ondenkbaar dat hij een andere vrouw binnenhaalde om haar de vernedering betaald te zetten? Een andere vrouw, een jonge vrouw, omgaande met haar kinderen, in de woonkamer, in de keuken, in de badkamer, in de slaapkamer, haar toilettafel gebruikend, zich opmakend voor haar spiegel, vreemde spullen in haar ladenkast, wufte spullen, transparante beha's, luchtige déshabillé's, een entraîneuse uit een bar met een vuurrode mond en een beweeglijk achterwerk. Het was onvoorstelbaar, het kon niet, het mocht niet.

'Het mag niet' zei ze halfluid.

Weer trof haar de blik van Els, die met een glimlach te kennen gaf dat ze doorhad dat ze met zichzelf praatte. Goed dat Els er was. Goed dat ze iemand bij zich had, die haar begreep zonder dat er woorden nodig waren.

Kon ze toelaten dat haar kinderen met een hele of halve slet onder hetzelfde dak woonden? En pret met haar maakten?

Het was nog niet zo ver. Ze beeldde zich maar wat in. Ze beeldde zich allerlei in om de angst wakker te houden die in haar binnenste genesteld was als een diffuus organisme, een kwal, een poliep met vangarmen, die bloedsomloop en ademhaling lastig maakte. Het ontstellende was dat ze vroeger stiekem de onbekenbare wens gekoesterd had dat er een andere vrouw zou zijn. Om een onbetwistbare reden te hebben om van hem weg te gaan. Die onbetwistbare reden was er niet. Enkel de reeks onspectaculaire vernederingen, het hoopje as, dat wegschrompelde naarmate de tijd vorderde.

Toen dacht ze plots aan het kerstfeest. In haar verbeelding was het geassocieerd met het haardvuur in de salon waar nu de pronkerige spiegel en de te grote luchter hingen. Daarrond waren ouders, grootouders, ooms en tantes, neefjes en nichtjes geschaard. Het huis was vol mensen, vol licht, vol lawaai, vol vriendschap. De kerstboom met de blinkende ballen, de lichtjes, de pakjes, was het glinsterende symbool van de goede gevoelens, die allen bezielden. Dan zong er een kind en je werd er stil bij. Stil en angstig. Want je voelde je zo gekoesterd door de genegenheid van allen die er waren, dat je het moment had willen fixeren, de tijd tot stilstand brengen om steeds dezelfde lieve mensen om je heen te kunnen hebben, even gezond, even vrolijk, even gelukkig.

Hadden haar kinderen ooit een kerstfeest gekend dat even mooi was als die welke haar herinnering bewaarde? De gemoedelijke grootouders mankeerden. De middernachtmis mankeerde. De betekenis mankeerde. Glorie aan God in de hoge en vrede op aarde aan de mensen, die van goede wil zijn. De vrede ontbrak, de goede wil ontbrak. Geef me, dacht ze, de vrede van het gemoed, ook als ik moederziel alleen ben op mijn kamers, ook als ik voor wat ik mis vervanging zoek in teeveeprogramma's. Dit moet heel erg zijn: op kerstmis eenzaam te zijn met een hart vol bitterheid.

Weer vertraagde de trein. Een agglomeratie kondigde zich aan met verspreide bebouwing, tuintjes, blauwe daken, een toren. Metz reeds. God, hoe kon ze haar tijd verkwanselen aan triestig makend gemijmer over wat onherroepelijk voorbij was, terwijl ze een beslissing te nemen had en zich voorbereiden moest op een geduchte ontmoeting.

'Metz' zei Els. 'We naderen. Ik vraag me af hoe ik het met jouw kinderen zal kunnen vinden.'

'Heb je schrik dat ze tegenvallen?'

'Geen schrik. Ik schiet nogal gemakkelijk met iedereen op.'

'Behalve met je moeder.'

'Laten we het daar niet over hebben.'

'Je hebt gelijk. Je kunt aan het verleden niet blijven vast zitten.'

Het verleden. Het huis. De kerstfeesten van vroeger. Haar vernietigde vader. Je moet het allemaal achter je laten, de blik op de toekomst gericht, met de besliste wil er iets van te maken. Een job zoeken, in het onderwijs of elders. Een andere man misschien. Een man met kinderen uit een vorig huwelijk, aan wie ze zich wijden kon. Kerstfeesten en andere feesten met een man en vreemde kinderen. Waarom niet?

Ze voelde zich glimlachen. Els merkte het op.

'Is de mistroostige bui over?'

'Ja' antwoordde ze kort.

Maar meteen voelde ze het onmogelijke aan van de luchtspiegeling. Een andere man? Ze zag zich het leven niet delen met een andere man.

8

Ze hadden uitgebreid geluncht in de winkelgalerij nabij het centraal station van Brussel. Om Els iets van de stad te laten zien, hadden ze de trappen beklommen die naar het paleis van schone kunsten leiden, ze hadden in het park gekuierd, een blik geworpen op het koninklijk paleis en op het parlement, en even stilgestaan op de kunstberg, waar het panorama met de gerestaureerde oude gevels en de stadhuistoren Els kreetjes van bewondering ontlokte. Met een late trein waren ze ter bestemming gekomen.

Ze waren doodmoe en zaten in Louisa's flat bij een glas aangelengde brandewijn waarin ijsblokjes dreven. Buiten was de duisternis haast volkomen. In de kamer verspreidden twee schemerlampen gedempt licht. Af en toe gleed een stralenbundel van een naderende auto over het gezicht van Els en haalde het telkens even uit de schemering. Louisa hield de blik gefixeerd op haar jonge vriendin, die voor zich uit zat te staren met opgetrokken wenkbrauwen, denkrimpels in het voorhoofd en uitstulpende lippen. De uitdrukking flatteerde haar niet maar ze gaf een indruk van ernst en betrouwbaarheid.

Ik zou veel geven, dacht ze, om precies te weten te komen wat ze nu denkt. Misschien vraagt ze zich af hoe lang ze bij mij zal blijven. Misschien denkt ze eraan zich hier voor onbepaalde tijd te vestigen, werk te zoeken, een jongen, een man. Ze is aan mij gehecht. Ik geef rust en geborgenheid. Ik heb kwaliteiten die mijn familie niet naar waarde schat. Kan ik me voorstellen dat Els maanden, jaren bij mij woont? Het zou me niet tegenstaan, het doet me goed haar bij mij te hebben. Misschien in de eerste plaats omdat ze me waardeert. Ik heb een ontzettende behoefte aan waardering. Els en ik, samen levend, de familie vergeten, ze voor onbestaande houden, ze uit mijn gedachten weren, Ann, Geert en Treesje inkluis. Geen twisten, geen kwellingen, geen vernederingen. Een zacht leven, eeuwige vrede, liefde, dood.

Ze schudde het hoofd. Ik ben uit angst om Ann voortijdig teruggekeerd. Ik kan ze niet uit mijn leven weren. Ze is vlees van mijn vlees, de kern van mijn bestaan, angstaanjagende kern. De angst staat weer dreigend in mij op. Ik zit hier al een half uur en ik ben er nog niet toe gekomen naar huis te telefoneren. Ik heb nog net de tijd, over een uur zal het niet meer behoorlijk zijn.

Om het toestel te bereiken diende ze op te staan en vijf passen te lopen naar het penanttafeltje, waarnaast Els zat. Ze kwam niet in beweging. Ze had schrik het goede moment met Els te verstoren, Els weg te halen uit de gedachten waarin ze verzonken was, haar met haar zorgen lastig te vallen. Veel minuten waren ze nu zwijgend bij elkaar in deze kamer geweest en dit stilzwijgen had geen van beiden een gevoel van onwennigheid gegeven. Hoe goed waren ze op elkaar afgestemd!

Haar gekuch deed Els vragend naar haar opkijken.

Ze glimlachte en lispelde: 'Het verbaast me telkens dat we het zo fijn met elkaar kunnen vinden. Ik zou er mijn kinderen bij vergeten.'

'Zou je ze niet even opbellen?'

'Ik heb het ook gedacht, maar ik kom er niet toe. Net of ik schrik heb aan de weet te komen wat er gebeurd is.'

'Geef me het nummer. Ik vorm het voor je.'

'Je bent een schat.'

Ze nam de hoorn van Els over. De stem van Geert.

'Bij Van Gassel. Met wie heb ik de eer?'

'Je moeder, Geert. Ik ben terug. Hoe maken jullie het?'

Even een aarzeling.

'Goed.'

De toon was niet overtuigend.

'Er is niets... onprettigs gebeurd?'

'Neen, niets dat het melden waard is. Wil ik vader laten overnemen? Hij staat naast mij.'

Er was dus iets voorgevallen, dat Geert niet durfde te zeggen. Vader stond naast hem. Het behoorde tot vaders prerogatieven de mededelingen aan de buitenwereld te doen. Tot die buitenwereld behoorde ook zij.

'Laat maar. Zeg me gewoon hoe Ann en Treesje het maken.'

'Goed.'

'Is Ann thuis?'

'Ja, op haar kamer.'

'Niets aan de hand met Ann?'

'Het gewone... Wil je echt niet dat ik vader aan het toestel laat komen?'

'Neen'.

Een poos onwennige stilte. Ze merkte op dat Els was opgestaan en aan het andere uiteinde van de kamer door het venster stond te staren. Ze wilde niet horen wat er door de telefoon gezegd werd. Geen van haar kinderen zou die kiesheid opgebracht hebben. Ze had voor hen geen recht op een stuk eigen leven, geen recht op geheimen. Ze eisten haar kompleet voor zich op. Hoe kon ze trouwens in hun ogen iets noemenswaardigs aan eigenheid bezitten als ze dag na dag meemaakten hoe hun vader haar voor onbenul versleet? Het werd tijd dat ze toonde dat ze meetelde, zo niet thuis, dan toch elders. Els was daarvan het bewijs. Ze zou zich in het gezelschap van Els bij hen aanmelden. Het schoot allemaal bliksemsnel door haar hoofd.

'Ik voel aan dat er wat schort met Ann. Ik wil er het fijne van weten. Ik loop morgen voormiddag eens binnen. Ik hoop dat ik binnen mag.'

'Natuurlijk mag je binnen.'

'Gaat je vader ermee akkoord?'

'Hij zegt ja... Maar niet te laat dan. Hij zegt dat hij thuis wil zijn als je komt.'

'Tot morgen, Geert.'

'Tot morgen, mams.'

Ze legde de hoorn neer, ging zitten, dronk een teug en schonk bij. Haar hart bonkte, haar rug dreef van het zweet.

De beslissing was gevallen, ze zou het huis betreden. Hij had grootmoedig zijn toestemming gegeven. Ze zou hem onder de ogen komen. Ze zou weten wat er met Ann aan de hand was. Er was iets met haar. Geert had het niet mogen vertellen maar de haperingen in zijn stem hadden het verraden. Het gewone, had hij gezegd. Het wilde geflirt dus, het halve nachten weg blijven. Maar ze was op haar kamer, en dat was ongewoon. Ze was dus ziek. Niet erg ziek, want dan zou Geert niet gezegd hebben dat ze het goed maakte. Haar vader had haar hardhandig aangepakt. Hij had geen resultaat bereikt. Anders zou hij niet zo vlot toegestemd hebben om haar binnen te laten. Behalve als het zijn bedoeling was haar daar te houden, omwille van zijn blazoen van grootmoedig echtgenoot.

Els was terug op haar plaats gaan zitten.

'Je hebt hier een wijd uitzicht' zei ze. 'Het station, de sporen, drie vier straten, een paar kerktorens, en je ziet ook wat groen.'

'Dat is het park van een privé klub' antwoordde Louisa. 'Voor een oude vrouw, die afleiding nodig heeft valt er inderdaad een en ander te bekijken. Maar voorlopig heb ik die afleiding niet van doen. Ik woonde vroeger midden in het groen. Het was me liever. Het was er ook heel wat minder luidruchtig.'

Ze zuchtte, leunde achterover, de nek op de rand van de rugleuning. Ze duizelde wat. Het gebonk van haar hart hield onverminderd aan. Ze sloot de ogen. Als nu de stem van Geert, en wat die stem verzweeg, haar van streek kon brengen, hoe zou ze morgen de konfrontatie kunnen doorstaan? Waar zou ze de helderheid van geest en de beslistheid vandaan halen om het voor Ann op te nemen, wat er ook mocht gebeurd zijn? Ann, haar oudste, haar eerste vreugde, het geschenk uit de hemel dat haar tot de waardigheid van het moederschap verheven had. Ann, zo fijn van leden, zo ontwapenend, zo innemend, zo brutaal oprecht soms, Ann, die haar vader haatte en meer van haar vader had dan ze besefte, hartveroverende Ann, angstaanjagende Ann.

'Voel je je niet goed' vroeg Els. Ze was bij haar komen staan en boog zich naar haar toe.

Ze glimlachte vermoeid.

'De ontroering... Het gaat over. Wees niet bezorgd. Morgen ga ik er heen.'

Ze sloot de ogen. Ieder woord benadrukkend vervolgde ze: 'En jij gaat met me mee.'

Els liet zich met een plof in de dichtsbije fauteuil neer.

'Dat begrijp ik niet. Ik heb daar niets te maken en ik vind het hoegenaamd niet passend dat ik er bij dit eerste kontakt bij ben.'

'Je gaat met me mee. Ik heb het zo beslist. Ik wil het.'

Er volgde een stilzwijgen. Els leek onder de indruk van haar eisende toon.

'Mag ik vragen waarom je het wilt?'

Ze glimlachte. Ze kon niet meteen prijsgeven hoe zwak ze zich tegenover haar familie voelde. Ze opperde:

'Ik heb je ook bij je moeder in Geneve vergezeld, al zag ik ertegen op na al wat je over haar verteld had.'

'Je had het zelf voorgesteld. Ik had het nooit durven vragen. Bovendien, de verhoudingen liggen anders... Jij behoort tot dezelfde generatie als mijn moeder.'

'En jij tot de generatie van mijn oudste dochter om wie ik speciaal bekommerd ben.'

'En je meent dat ik iets voor haar kan betekenen? Zomaar, bij toverslag. En daarom moet ik er meteen bij zijn. Ik ben geen fee uit een sprookje. Ik ben in de grond heel stuurloos. Misschien zelfs stuurlozer dan je dochter. Je vergeet met welke ideeën ik rondgelopen heb.'

Ook Els had dus schrik. Twee sidderende vrouwen zouden voor hem staan. Het denkbeeld ontlokte haar een nerveuze lach.

'Exkuseer, ik had een gekke inval. Ik zag ons beidjes staan schudden en beven voor die bulderende man van mij.'

'Waarom moet ik er morgen reeds bij zijn?'

'Om me genoegen te doen. Ik kan geen redenen opgeven. Maar ik verlang het.'

'Goed dan. Mag ik gaan slapen?'

'In het bed van Ann. Het zal je misschien helpen om je in haar gevoelswereld in te leven. Ik meen dat je wat kunt doen voor Ann. Ik weet niet precies wat. Je bent zacht en wijs. Je hebt heel wat meegemaakt. Misschien zelfs meer dan je aan mij kwijt wilt. Ik heb steun aan je. Het kan gek lijken, maar het is zo.'

Ze bleef alleen in de woonkamer achter. Ze was doodop maar kon er niet toe besluiten naar bed te gaan. Ze schonk weer in. Ik word een stiekeme drinkster, dacht ze, vroeg verlept en spoedig een wrak. Er moet iets met me gebeuren. Wat moet er met me gebeuren? Ann, dacht ze, Ann, als ik voor jou iets kan doen wat de moeite waard is, dan ben ik gered. Ze had iets als een verblinding. Ann liep aan haar zijde, en ze trok haar met geweld ergens van weg. In de buurt was er een krater van een vuurberg, er klonk onderaards gestommel, uit barsten in de bodem spoot zwaveldamp. Toen werd ze gewaar dat ze zat te knikkebollen en dat de fles helemaal leeg was. Ze kwam ertoe zich uit de stoel te hijsen, met de handen zich op de zijleuningen wegduwend. Haar armen zwaaiden wild in het rond, vonden steun op een tafeltje. Net op tijd. Bijna was ze met een bons voorovergevallen.

'Ik ben zat en ziek' zei ze halfluid. 'Ik heb hulp nodig. Ik kan hulp krijgen. Er ligt een lief meisje in het bed van Ann. Een lief meisje, veel liever dan Ann. Ze had mijn dochter moeten zijn. Ik ga bij haar liggen. Maar eerst een glas water. Mijn leven voor een glas water.'

Het glas schommelde in haar hand onder de waterstraal.

Ze had weer die verdomde nerveuze lach terwijl het water rondom spoot, haar armen en haar kleren vol.

Er kwam een vage helderheid in haar geest. Els, dacht ze, lieve Els. Aan de muren steun zoekend slofte ze naar de kamer waar Els zich bevond. Ze legde haar oor tegen de witte deur, hield de adem op, luisterde gespannen. Sliep ze? Er was niets te horen behalve de straatgeluiden, het remmen van auto's aan het kruispunt, het optrekken van motoren, de hoge zoemtoon van een bromfiets.

Ik ga er niet binnen, dacht ze. Ze slaapt of ze tracht te slapen. Ik stoor haar niet, ik bezoedel haar niet. Ik, die me niet voorstel dat ik met een ander man naar bed zou gaan, begeef me daaraan niet. Ik weet niet waar ik aan toe ben, ik ben zat en ziek, maar ik heb principes, en nog genoeg zelfbeheersing om me naar die principes te voegen. Hoe eenzaam me ik ook voel, hoezeer ik ook verlang.

Haar kamer, haar bed, haar tweepersoonsbed. De kleren

vlogen links en rechts. De lakens waren vochtig koel. Ze gleed er met een huivering tussen. Voor ze insliep dacht ze: slechts een muur van een halve steen scheidt me van haar. Ze wacht misschien op mij. Ze verlangt misschien. Ze zal teleurgesteld zijn. Maar ik heb een overwinning behaald. Ik ben sterker dan ik dacht. Ik zal slagen in wat ik ondernemen moet, al staat het me niet voor de geest waarin dat ondernemen moet bestaan.

Door een kier van het niet helemaal dicht geschoven overgordijn dreef de zon een wig in haar slaap. Het was alsof er een wig geslagen werd in haar hoofd, dat zwoel en moe was, en helemaal niet bereid om te aanvaarden dat de dag aangebroken was en dat er aan opstaan moest gedacht worden. De geluiden van de straat zoefden en ratelden tegen de ruiten op. Vlakbij op een kommode trilde een karaf. Ze zou beslist moeten uitzien naar een flat in een rustiger buurt. Het lawaai was ondraaglijk.

Toen ontstonden er ook geluiden binnen in het gebouw. Deuren klapten, stemmen klonken, een kind rende trappen af, een vrouw riep het onbegrijpelijke waarschuwingen achterna. Ze trok het laken over haar gezicht. Nog een uurtje slaap mocht ze zich gunnen. Het was nodig dat ze volkomen uitgerust de dagtaak aanvatte. De taak was belangrijk. Best er nog geen aandacht aan te schenken om het noodzakelijk herstel van haar krachten niet in het gedrang te brengen. Slaap weer in, Louisa, slaap als een kind, onbezorgd, kommerloos, betrouwend op de goede lieden, die voor je zorgen, je moeder, je zachtaardige vader, je grootvader, wiens stralende blik je uit zijn rimpelgezicht toelacht.

Water spoot en pletste vlakbij, een helder en fris geluid, dat voor de slaap als malse regen voor weiland was. Hemel, Els was het, die onder de douche stond. Els, die met haar mee naar het huis moest. Els, die de aanbeveling niet vergeten was, in de vroege voormiddag te gaan. Plichtgetrouwe Els, schat van een Els. Ze stond naakt onder het stromende water, zoals ze ook stond, niet helemaal naakt evenwel, toen ze haar voor het eerst ontmoet had onder de stranddouche ginds in Elounda. Wat lag dat al ver in het verleden. Wat was er sindsdien al niet gebeurd. Eigenlijk bijna niets, een terugreis met een oponthoud in Geneve, een ontmoeting met de moeder van Els, die tegenstrijdige gevoelens op gang had gebracht. Zeven uur tien wees de elektrische klok op het nachtkastje. Nog een hele poos eer de vroege voormiddag aanbrak, nog ruimschoots tijd om te soezen. Waarom moest Els zo vroeg uit de veren? Waartoe was het nodig dadelijk een stortbad te nemen? Had ze een slapeloze nacht achter de rug? Was ze moe van het woelen in het bed van Ann? Dat moest het zijn: ze had zich ongelukkig gevoeld. Ze had verwacht en gehoopt dat Louisa bij haar zou komen. Ze had gebroken met haar moeder, haar onmogelijke moeder, en ze had daaraan liggen denken. Je breekt niet met je moeder zonder een pijn als van iets in je binnenste dat scheurt. Vooral niet als je gevoelig en kwetsbaar bent zoals Els. En zij, Louisa, die troosten en helen kon, haar vervangingsmoeder, de moeder naar haar hart, was blind en doof gebleven voor de woordenloze roep. Ze had zich bedronken, ze was wauwelend door de kamer gestrompeld, ze was kommerloos in haar dronkemansroes weggezonken.

Hoe onwaarschijnlijk lang bleef Els onder de douche. Er kwam geen eind aan de watergeluiden. Misschien slaagde ze er niet in de loomheid uit haar leden weg te spoelen. Misschien dacht ze aan hun eerste ontmoeting onder de stranddouche in Elounda. Misschien hoopte ze op een herhaling van die eerste ontmoeting en bleef ze treuzelen tot Louisa opdaagde, de japon in een hoekje gooide, en, tegen haar aangedrukt onder dezelfde waterstraal feestelijk de nieuwe dag inhuldigde.

Zoete bekoring. Er niet aan toegeven. Blijven soezen. De onvermijdelijke moeilijkheden van de dag nog niet onder ogen nemen. Weerstaan aan de verleiding. Het was hoognodig. Voor haar zelfrespekt was het hoognodig.

Toen het geluid van neerstromend water ophield ging er een schok door haar. Ze was meteen klaar wakker. Maar nog stond ze niet op. Ze wilde nagenieten van de overwinning op de verleiding, zich koesteren in het besef van haar verhoogde zelfrespekt.

Larie, zei ze na een poos tegen zichzelf. Onzin allemaal. Als er iemand röntgenogen bezat, die door mijn schedel heen konden kijken naar wat er zich in mijn hersenkronkels afspeelt, in een homerisch gelach zou hij uitbarsten. Op straat, in de warenhuizen, overal waar ik me vertoon, zouden ze naar mij wijzen. Daar loopt de vrouw met de malle bedenksels. Krankjorum is ze en ze heeft de lef om het lot van haar kinderen in handen te nemen. Zou men er niet moeten op bedacht zijn zulke wezens op een beschaafde manier onschadelijk te maken?

Er werd geklopt.

Ze antwoordde: 'geen belet, Els.'

En daar was ze, in een roze badmantel, de natte haren sluik om haar gezicht klevend, fris als een hoentje, de ogen tintelend van vrolijkheid. Een vochtige zoen op haar voorhoofd, een zachte ruk aan haar schouder.

'Eruit, Louisa. We hebben een geweldige dag voor de boeg. Ik maak het ontbijt klaar terwijl jij je toilet in orde brengt.'

Op haar beurt douchend, overwoog ze dat ze haar leven nodeloos kompliceerde. Wat ze zich met betrekking tot Els in het hoofd gehaald had, rijmde nergens mee. Het kind verdiende beter, verdiende onbevooroordeelde vriendschap, verdiende blijmoedig gezelschap, verdiende geborgenheid. Voornemens vormden zich onder het neerstortende water. Nooit bedrink ik me nog. Nooit laat ik nog zulke broeierige bedenksels tot mijn bewustzijn toe. We treden de komende dingen moedig tegemoet.

De goede stemming hield stand gedurende het ontbijt. Over wat er te gebeuren stond werd met geen woord gerept. Als gingen ze een alledaags klusje opknappen, liepen ze taterend de halve straat door naar de boks, waar haar wagentje gestald stond. Maar tijdens de korte rit zwegen ze allebei.

De voorraad futiliteiten, waarmee ze de grote kommer hadden kunnen wegpraten, was ineens opgebruikt. De beklemming nam toe.

Ze parkeerde voor de ligusterhaag. Twee linden hadden reeds gele bladeren. De rest van de laan stond nog fris in het groen. Jaar na jaar was het haar opgevallen dat diezelfde twee linden telkens in de lente het laatst in blad schoten en het eerst hun loof verloren, nog voor het najaar aanbrak. Ze stond een poos naar de vergelende kruinen te kijken. Het zou haar wellicht niet meer vergund zijn in de vertrouwde wijk de gang van de seizoenen te volgen. Ze verdreef de opkomende weemoed, beslist schreed ze naar de deur, beklom de twee treden en belde aan. Ze hoorde het rinkelen binnenin in het hoge trappenhuis. Het deed vreemd aan. Het was haar huis, ze placht er met de sleutel binnen te gaan. Els was op een kleine afstand blijven staan en keek naar haar op. Ze glimlachten elkaar toe. Goed dat Els er was.

Treesje deed open. Roza, de meid, was met vakantie. In het verleden had ze ook telkens twee weken gehad in augustus. Treesje leende zich eerst onwennig aan haar omhelzing, maar dadelijk nadien sloeg ze de armen om haar midden en drukte het hoofd tegen haar borst.

'Dit is Treesje en dit is Els, een Nederlands meisje, dat met mij in Elounda was, en dat een tijdje bij mij zal blijven. Ze zal een goede vriendin voor jullie zijn.'

De gang, het geluid van haar stappen op de tegelvloer. Hoe stil was het in het grote huis, waar toch een man en drie kinderen vertoefden. Het was alsof niemand de stem durfde te verheffen. Ze stond op het karpet, dat voor de woonkamerdeur lag, aarzelde, vroeg zich af of ze zou aankloppen vooraleer binnen te gaan. Ze was een vreemde in haar eigen huis, ze wilde zich als een vreemde gedragen. Treesje wrikte aan de kruk en stootte de deur voor haar open. Ze trad binnen. Van aan de slordige ontbijttafel, waarop drie koppen zonder schoteltjes stonden, staarden twee gezichten haar aan, dat van hem en dat van Geert. Hij was aangekleed met jas en stropdas. Geert was in kamerjas.

Geert stond op, kwam naar haar toe, zoende haar vluchtig en ging weer zitten. Hij was veranderd, slonziger geworden en doffer in blik. De prille baard legde een schaduw over wangen en kin.

Ze merkte op dat hij de blik vragend op Els gericht hield. Ze herhaalde haar voorstelling, het Nederlandse meisje dat haar in Elounda gezelschap had gehouden.

Een norse blik van de man liet mistevredenheid kennen.

'Ze is zo lief nog een tijdje bij mij te willen blijven.'

Haar stemgeluid klonk onoprecht. Het was alsof ze een

nummertje opvoerde dat kant noch wal raakte. Er kwam geen wederwoord, er kwamen ook geen vragen. Wat ze zei viel in een put van onverschilligheid. Ze had een kort nerveus lachje. Dan zei ze:

'Is Ann er niet? Ik heb naar Ann verlangd.'

De man grinnikte.

'Dat verwondert me niet. Soort zoekt soort.'

Ze ignoreerde de belediging.

'Waar is ze?'

Angst trilde in haar stem. De gezichten aan de ontbijttafel bleven gesloten. De handen van de man maakten een verveeld gebaar. Ze herhaalde haar vraag. De toonhoogte van haar stem klom. 'Ik heb het recht het te weten. Je kunt haar voor mij niet verstoppen.'

'Ze is in huis. Ze is in haar kamer. Meer hoef je niet te weten. En je hoeft ook niet bezorgd te zijn. Ze is het niet waard.'

'Ik wil haar zien. Laat Treesje haar halen.'

'Ze komt niet naar beneden. En Treesje zal haar niet halen.'

De toon was bars. Toch had ze de indruk dat de man niet zeker van zijn stuk was. Het was alsof hij zichzelf geweld aandeed om een stoere onverbiddelijkheid aan de dag te leggen.

'Goed. Dan ga ik zelf.'

'Je gaat niet. Ik ben hier de baas. Je hebt het recht niet hier binnen te komen. Ik mag je buiten gooien. Als ik je hier duld, moet je niet meer willen dan ik toesta.'

Ze liet zich zuchtend op een stoel neer. Els nam naast haar plaats, tastte naar haar hand en drukte er hevig op. Ze voelde dat Els beefde.

'Kun je je dat voorstellen, Els. Het is me niet toegelaten mijn dochter te zien. Ik moet veronderstellen dat er redenen zijn om haar voor mij verborgen te houden.'

Hij onderbrak haar.

'Volgens het vonnis staat ze tot het einde van de maand onder mijn hoede.'

Ze vervolgde.

'Ik moet veronderstellen dat er erge dingen met haar gebeurd zijn, dat haar gezicht stuk geslagen is bijvoorbeeld; dat ze verminkt werd, dat ze kreupel geslagen werd, dat ze in het gips zit. Ik kan me daar niet bij neerleggen. Ik neem de politie onder de arm. Ik moet weten wat er gebeurd is.'

'Doe geen dwaasheden. Je hebt er al genoeg gedaan. Laat de politie erbuiten. Het is in ieders belang. Ook in dat van jou.'

Hij had gebulderd. Zijn stem was overgeslagen. Dan was hij haast tranerig geworden. Alsof hij zich wilde hervatten en de indruk van weekheid wegwissen, sloeg hij met de vlakke hand op het tafelblad en herhaalde: 'ook in jouw belang.'

Het gebons deed de kopjes opwippen. In de stilte die volgde klonk plots het snikken van Treesje. Ze was bij de deur blijven staan, bang in de twist gemengd te raken. En nu huilde ze met gesmoorde snikjes. De spanning die in de kamer hing veranderde meteen van aard. Het was een toornig tegen elkaar uitvaren geweest. Nu kwam triestigheid in de plaats, en schaamte om het leed van het kind. Een kind dat verdriet heeft, haalt men naar zich toe, men streelt het, men spreekt troostwoordjes uit. Maar niemand kon dat nu. Zij niet en hij niet. Ze hadden andere bekommernissen: het gebeuren met Ann, waarvan ze geen weet mocht hebben. De man had last met zichzelf. Zijn grofheid was aanstellerij. Hij was niet zo zeker van zijn stuk als hij wilde doen voorkomen. Er liepen zenuwtrillingen over zijn opgedrongen gezicht. Toen zijn blik in een flits de hare kruiste, las ze er woede in, maar ook ontreddering, machteloosheid, wanhoop misschien.

'Schaam je je niet dit kind aan het huilen te brengen?' vroeg ze. Ze keek hem daarbij doordringend aan. Hij wreef over zijn voorhoofd.

'Wat ik al meemaak. Alsof ik zonder die ellende niet genoeg aan het hoofd had. Niet ik hoef me te schamen, maar zij, die dochter van je, om wie je zo bekommerd bent. Ze zou in de grond moeten zinken.'

'Je weet met haar niet om te gaan' repliceerde ze vinniger dan ze vroeger ooit gekund had. Ze dankte haar strijdvaardigheid aan Els, die naast haar zat. Ze stond niet alleen, ze had een onbaatzuchtige bondgenote. Hun zwetende handen lieten elkaar niet los.

Het snikken van Treesje was overgegaan in een drenzerig gejammer. Het was een lange poos het enige geluid in de kamer. Na de woedeuitbarsting van de man, nam de triestigheid weer de bovenhand. Geert zat met opeengeklemde lippen een sigaret te rollen. Het was een achteloos bewegen van zijn vingers, waartussen het blaadje verfomfaaid raakte en de tabakvezels verloren rafelden.

'Ik had ze nooit bij je mogen laten. Ik wist dat het verkeerd zou uitlopen. Het heeft mijn vakantie bedorven. Zeg me nu eindelijk wat er gebeurd is.'

'Je zult het weten. Volg me.'

Hij stond moeizaam op en liep waggelend de kamer uit. Els keek haar vragend aan. Ze deed teken dat ze moest blijven zitten. Alleen liep ze de man achterna. De zeven of acht treden te beklimmen naar de tussenverdieping, waar zijn werkkamer gelegen was, scheen van de man een grote inspanning te vragen. Zijn zware hand schuurde over de trapleuning, waarop hij steunde en waaraan hij zich optrok. Hij was er fysisch bepaald niet op vooruitgegaan. Ze voelde medelijden, dat vreemd gemengd was met een triomfantelijk gevoel. Zelf was ze in een puike konditie. Door het vele zwemmen en het wandelen op Kretenser hellingen waren haar spieren gestaald. Ze bedwong de lust om haar lenigheid te demonstreren door hem in een paar sprongen voorbij te steken en de deur voor hem open te doen. Ze deed het niet. Ze kon het van zichzelf niet gedaan krijgen de ongelukkige te tarten. Want ongelukkig was hij, dat was allengerhand duidelijk geworden. Ongelukkig door haar, ongelukkig door Ann. Ann was nu de grote kommer, ze mocht het niet uit het oog verliezen.

Hij liet zich neer op de lederen stoel achter zijn bureau en wees naar de stoel ertegenover. Het licht, dat zijwaarts op zijn gezicht viel onthulde genadeloos zijn ontreddering. Zijn blik vermeed onrustig de hare en bleef springerig een meter boven haar hoofd hangen.

'Vertel me nu wat er met Ann aan de hand is' zei ze zacht. Haar toon was beschermend. De vijandschap was van haar geweken tegelijk met de vrees voor de man. Hij kon het zonder haar niet klaren. Nu was zij de sterkere.

Hij deed zakelijk zijn verhaal. Zijn vermogen om een toestand in een helder betoog samen te vatten, was ondanks zijn ontreddering onaangetast gebleven.

Hij had een zakenreis naar Frankfurt gepland, samen met een van zijn direkteurs. Op weg naar de luchthaven had ongerustheid hem te pakken gekregen. Op het parkeerterrein van het vliegveld had hij zijn dokumenten aan zijn medewerker gegeven en hem gevraagd het zonder hem in Duitsland te beredderen. Zijn instrukties gaf hij hem op een papiertje. Nu hij zich in het Brusselse bevond, had hij van de gelegenheid gebruik gemaakt om even op het ministerie voor buitenlandse handel binnen te lopen. Een ambtenaar aldaar was hem herhaaldelijk biezonder ter wille geweest. Het was het moment om de man met zijn vrouw in een restaurant te inviteren. Het werd een uitgebreide maaltijd met meer alkohol dan aanvaardbaar was voor iemand, die nog een goede honderd kilometer te rijden had. Hij voerde de man en zijn vrouw naar hun huis in Watermaal-Bosvoorde, dronk daar nog een paar slaapmutsjes, raakte achteraf verloren in een wirwar van lanen, en had het ongelukkig idee de weg te vragen aan een rijkswachtpatrouille. Hij moest in het zakje blazen en zijn autosleutels werden hem voor vier uur ontnomen. Tegen de morgen was hij thuis gekomen, net toen Ann in kamerjas aan de deur verscheen en drie langharige kerels uitliet. Ze was naakt onder die kamerjas. Er viel niet te loochenen. Als je meer détails verlangt, kan ik meedelen dat haar beddelakens onder spermavlekken zaten. Om de beurt hadden ze het mogen doen. Geert heeft aan haar kamerdeur geluisterd. De afspraak was : wie haar het meeste genot schonk zou mogen terugkomen. De twee, die minder goed gepresteerd hadden, kregen een tweede kans. We hebben een vulgaire hoer gekweekt. Wat die knullen voor haar toekomst te bieden hadden heeft ze zich niet afgevraagd. Ik ben te weten gekomen wat ze waard zijn. Niets, helemaal niets. Luiwammesen en profiteurs zijn het, die ook elders lichtekooien hebben zitten, waar er toevallig ook centen te rapen vallen. Wat ik nog moet vertellen: ze heeft me bestolen, twee keer vijfduizend. Een hoer en een dievegge, wat kunnen we ermee aanvangen? Louisa, word wakker.

Ze had met neergeslagen ogen geluisterd. Er kwam een vreemde gerustheid over haar. De angst, die ze om Ann uitgestaan had, ebde weg. Het geval had niets gemeen met dat van het zusje van Els. Het was de voortzetting van wat al maanden aan de gang was, bruisende levenslust, wild, onbezonnen, wanhopig haast. Het moest in banen geleid worden. Zij kon het. Met de hulp van Els kon ze het. Het was een plotselinge zekerheid. Nu ze de man radeloos zag, groeide haar zelfvertrouwen. Maar dan rees de vraag: wat had de lompe man met haar kind aangevangen? Haar hart bonsde. Op strenge toon vroeg ze:

'En je hebt haar geslagen, je hebt haar afgeranseld.'

'Wat wil je dat ik deed? Haar feliciteren met haar sukses? Maar ik heb niet overdreven. Ze zal er niets van overhouden.'

'Ik wil haar zien. Laat ze naar hier komen.'

De man grinnikte. Er lag sluwheid in zijn schuine blik.

'Ik heb ze opgesloten.'

'Hoe durf je?'

'Moet ik dulden dat ze onze naam kapot maakt? Ik kon ze in de kelder opsluiten, maar dat heb ik niet gedaan. Ze is op haar kamer. Maar al haar kleren heb ik haar ontnomen, ook haar kousen en haar schoenen. Ze heeft genoeg aan haar nachtjapon. Drie keer per dag breng ik haar wat eten. Ze heeft twee dagen hongerstaking gehouden. Nu eet ze weer.'

'Wat denk je te bereiken?'

'Ze gedraagt zich als een beest. Ik sluit haar op als een beest. Ze is gevaarlijk. Of wil je haar goedpraten?'

'Ik wil haar zien. Ik wil met haar spreken.'

'Goed. We gaan naar haar kamer.'

Weer volgde ze hem op de trappen. Hij liep minder moeizaam nu. Alsof er een gewicht van hem afgenomen was. De sleutel draaide in het slot. Hij wilde haar voorgaan. Ze trok aan zijn arm.

'Ik alleen. Ga jij naar beneden. En sluit me niet op.'

'Over een kwartier laat ik je buiten. Meer tijd heb ik niet. Ook voor haar werk ik.'

Het slot draaide achter haar dicht. In de schemerdonkerte

zag ze de vage contouren van Ann's lichaam op het bed. Het gezicht was naar de muur gekeerd. Ze trok de gordijnen open. Ann richtte zich op.

'Moeder.'

Het wemelde voor haar ogen. Ze vielen in elkaars armen en stonden minuten lang huilend tegen elkaar aangedrukt.

'Huil het uit, kindje' zei ze. 'Straks zul je inzien dat het zo heel erg niet is. Er is niets onherstelbaars gebeurd. Ik heb over meisjes van jouw leeftijd ergere dingen gehoord. Onherstelbare dingen.'

Ze streelde de magere rug, met de vlakke handpalm eerst, dan met de vingertoppen.

'Laat me je gezichtje zien. Er zijn tranen genoeg gevloeid.'

Ze lachte haar toe, door haar tranen heen. Er was een donkere vlek op haar linkerkoon.

'Dat werken we straks weg met wat huidcrème. Je bent spoedig weer toonbaar. Heb je verder nog letsels?'

Ze toonde haar voorarmen, die blauw uitsloegen van het afweren van de slagen.

'Niet verontrustend. Het staat sportief. Wat krijg je van je vader te eten?'

Veel was het niet. 's Morgens een appel en een glas melk, 's middags twee boterhammen met ham, 's avonds een appel en een glas melk.

'Genoeg om in leven te blijven, maar om meer spek aan je ribben te krijgen is er steviger kost nodig. Zou je het leuk vinden als we samen gingen eten ergens buiten de stad, wij getweeën en een Nederlands meisje, dat ik in Elounda heb leren kennen en dat enkele dagen bij mij zal blijven.'

'Vader zal het niet toestaan.'

'Dat zullen we zien. Neem alvast een bad en breng je haar in orde. Ik wil trots op je zijn.'

'Ik heb mijn kleren niet.'

'Daar zorg ik voor.'

Ze hoorde het slot opendraaien. In de kier verscheen zijn gezicht.

'Ik kom dadelijk naar beneden. Laat in Godsnaam de deur open.'

Terug in de woonkamer ging ze rechtover hem in een lage

stoel zitten. Hij keek haar aan over de krant heen, waarin hij veinsde te lezen. Zijn bril was laag op zijn neus gezakt, zijn ogen stonden wijd open gesperd, vorsend naar haar indrukken.

'Hoe is het met haar?'

Ze sloeg de ogen neer en zuchtte. Ze zou niet dadelijk haar voornemens prijs geven. Ze voelde zich meester van de situatie. Omdat hij radeloos was had hij haar in het huis binnen gelaten. Ze moest hem nog dieper in zijn ellende duwen. Tot hij geen uitweg meer zag en alles aan haar overliet.

'Hoe het met haar is? Broodmager, gekneusd in lichaam en ziel, zwak. Nog twee weken het regime, dat je haar oplegt en je mag een begrafenisondernemer laten komen.'

Hij grinnikte geforceerd, en deed alsof hij zich weer in de krant verdiepte.

'Je overdrijft' mompelde hij.

Ze liet weer een diepe zucht horen en bleef minuten lang met neergeslagen ogen zitten. Ze bespeelde het gemoed van de man als een stug instrument. Het beroesde haar, ze hanteerde macht zoals ze in haar hele leven nog niet gekund had. Daarvoor was het nodig dat Ann zo diep gevallen was, was het nodig dat hij middeleeuwse tuchtigingen toepaste. Haar zwijgen werkte de man op de zenuwen. De bladen van de krant werden frommelend omgedraaid, ze beefden in zijn handen. Hij wachtte op meer verwijten. Geert en Treesje waren weggezonden, merkte ze op; ze mochten de scène niet bijwonen. Enkel Els zat er nog, op steeds dezelfde stoel, ineengedoken, proberend onopgemerkt te blijven.

Ik sta er alleen voor, dacht ze. Maar ik ben sterk, ik kan het aan.

'Als ik mijn plicht als moeder zou willen doen' zei ze voor zich uit, als formuleerde ze een bedenking, die voor geen gehoor bestemd was, 'dan zou ik me tot het gerecht moeten wenden om een eind te stellen aan de mishandelingen.'

Achter de krant kraakte een vloek. Dan zakte die krant neer, het opgedrongen gezicht zag rood, de ogen puilden boven de brilglazen.

'Moet het allemaal kapot? Ons gezin, onze faam, de toekomst van de andere twee. Meen je dat ik de tijd en de lust heb om aan een politieagent uit te leggen hoe het er hier aan toegaat? Vind je het zo prettig op de tongen te rijden?'

Hij raasde minuten lang door, bracht er zijn werk bij te pas, de moeilijkheden die hij ondervond, de processen met leveranciers en met slechte betalers, de twisten met vakbonden en ondernemingsraden. Hij torste het allemaal. Zijn zenuwen stonden dag in dag uit gespannen, zijn hoofd was om te barsten. En nu deze ellende, deze geniepige ondermijning van zijn weerstandsvermogen. Dat kwam uitgerekend van de eigen familie voor wie hij al die lasten op zich nam. Hij kon net zo goed de boel laten stikken, alles van de hand doen en een lekker leventje leiden ergens aan de azuren kust.

Hij nam de krant weer in zijn bevende handen.

Ze antwoordde tergend kalm.

'We weten allen dat je veel werkt en dat je een grote meneer bent in de zakenwereld. Je hoeft het niet bij elke gelegenheid van de daken te schreeuwen. Het geeft je niet het recht om je dochter te mishandelen en te laten verhongeren.'

'Verhongeren! Je hebt je wat laten wijs maken.'

'Ik zie wat ik zie. Ze is bont en blauw geslagen en broodmager. Ik haal haar hier weg. Als je haar niet laat gaan doe ik een beroep op het gerecht. Als je faam je zo lief is als je beweert, zul je het zover niet laten komen.'

'Wat zul je met haar aanvangen?'

'Dat zal de tijd uitwijzen. Om te beginnen zal ik haar laten bekomen van het schrikbewind, waaraan ze blootgesteld is geweest. Daarna zal ik rustig met haar praten. Ze is niet dwaas, ze is voor rede vatbaar. En ik heb Els bij me. Ze kunnen goede vriendinnen worden.'

'Els? Wie is Els? De Hollandse, die je meegebracht hebt? Alsof het in haar land zo pluis is! Van het hypokriete Calvinisme zijn ze daar overgeslagen naar de stomste bandeloosheid. Ik kom er, ik doe er zaken. Ik hoor van mijn klanten hoe het er met de jonge lui gesteld is. Ze benijden ons. Ze denken dat wij nog wat principes durven meegeven. En uitgerekend uit dat rotte land breng je een meid mee om je dochter tot betere gevoelens te brengen, jij, vrouw die je gezin in de steek liet, jij, die me ruïneert en kapot maakt. Ze moet van een heel biezonder slag zijn, die Els van je, dat je ze hebt kunnen strikken. En ik zou betrouwen moeten hebben! Voor wie houd je me?'

'Ben je uitgeraasd? Besef je dat je iemand beledigt die je hoegenaamd niet kent?'

'Ik ken jou. Dat volstaat.'

'Ik ben aan je beledigingen gewend. Ik heb ze te lang geduld. Dat geeft je het recht niet mijn vriendin door het slijk te halen.'

Els stond op, ze beefde, ze keek van de ene naar de andere met betraande ogen.

'Laten we weggaan Louisa. Ik kan er niet tegen. Ik kan er niet tegen mensen elkaar te zien pijn doen.'

Er volgde een stilte. Els ging zitten en verborg haar gezicht in haar handen.

Hij grinnikte.

Ze is teergevoelig, je vriendin.'

Heel beslist en heel nadrukkelijk antwoordde ze.

'Ja, dat is ze, teergevoelig. En dat beschouw ik hoegenaamd niet als een gebrek. Els, heb nog wat geduld. We verlaten spoedig deze hel. Maar ik ga niet weg zonder Ann.'

'Neem haar in 's hemelsnaam mee. Maar dat ze me niet meer onder de ogen komt.'

Hij schreeuwde het uit. De kapitulatie kwam vlugger dan ze verwacht had. Waren het de woorden van Els, die zijn weerstand gebroken hadden? Of was hij van meet af aan zinnens geweest Ann te laten gaan? Dat moest het zijn: hij was blij van de zorg bevrijd te zijn. Hij kon het niet meteen toegeven. Het was voor zijn imago nodig dat hij een nummertje opvoerde met veel grove woorden. Hij, die in alles slaagde, had het bij Ann niet opgebracht. Zijn vele prestaties op andere gebieden moesten aan bod komen, zijn zorgen, zijn martelaarschap. En anderen moesten de schuld krijgen. Zij in de eerste plaats. Voortaan zou het duidelijk zijn dat zij alleen verantwoordelijk was voor wat er van Ann zou geworden. Hij trok er zijn handen van af.

Was ze verantwoordelijk voor de ontsporing? Ze vroeg het

zich af terwijl ze de kleren van Ann inpakte. Ann was in de badkamer. Vooraf had ze haar een borrel te drinken gegeven, en ze had ook voor zichzelf en voor Els ingeschonken. Hij had laten begaan. Hij moest naar het kantoor, hij had al meer dan genoeg tijd verloren. Doe alsof je thuis bent, had hij gegrinnikt. De hoed op, de aktentas onder de arm, had hij getreuzeld. Hij had haar en Els langdurig aangestaard, alsof er hem een vraag op de lippen lag en hij er niet toe kwam ze te stellen. Welke vraag? Dat ze blijven zou, giste ze. Dat ze een eind zou stellen aan het proces. Hij kon niet zonder haar. Hij had haar vernederd en beledigd, haar voor onnut versleten. Maar hij kon niet zonder haar. 'Doe alsof je thuis bent.' Onderverstaan was: je bent eigenlijk thuis, je hoeft het maar te willen. Hij kon het niet gezegd krijgen. Het zou een nieuwe kapitulatie zijn, zo vlug na die eerste met betrekking tot Ann. Van een man met die ontzaglijke eigendunk was het teveel gevraagd. Maar ze had begrepen. De verleiding om te blijven kwam opzetten. Over de stoelruggen waren haar handen gegleden. Het speeltafeltje had ze opengeklapt, ze had speelkaarten en aantekenboekjes geschikt zoals ze placht te doen. Ze had door het venster gestaard naar de glycine van de pergola. Het had haar genoegen gedaan dat de struik in zijn tweede bloei stond. Vorig jaar had hij enkel in het voorjaar gebloeid, nu ook in augustus. Ze had altijd graag naar de glycine gekeken, de waterval van paarse trossen in april, het zo frisse groen daarna, het mooie geel in oktober. Hoe ze van dit huis hield! En van de tuin, de pergola met de witte stoelen, de twee rozenperken. Haar herinneringen zaten eraan vast. De kinderen hadden er leren lopen, leren praten, hadden er hun eerste schoolbelevenissen verteld. Ze liep er met Geert, het was volop zomer en het gonsde van bijen en wespen. Zwaluwen wentelden zo hoog dat ze haast onzichtbaar waren. Ze legde aan Geert, een dreumes van zes of zeven, uit hoe die vogeltjes hun voedsel al vliegend tot zich namen, muggen en kleine kevertjes, die naar gelang van de luchtdruk op verschillende hoogten zweefden. En hoe de bijtjes honig slurpten uit de rozen, en die achteraf in hun korven deponeerden. Om de bijtjes aan te lokken hadden de bloemen zo mooie kleuren gekregen.

Geert dacht na, verwerkte de nieuwe wetenswaardigheden, bleef met wijd open ogen voor zich uit staren.

Is er iets wat je niet begrijpt Geertje?

Als alles wit was, zonder kleuren, zouden er dan geen bijtjes kunnen leven?

Ze zouden hun voedsel dan op een andere manier moeten gaan zoeken, voortgaande op de geuren misschien. Ook de geuren spelen een rol.

Ik heb eens gedroomd dat alles wit was, zei Geertje. Er kwam een witte man met een heel groot muziekinstrument, dat ook helemaal wit was. Hoe heet het instrument dat zware geluiden voortbrengt?

Is het een bombardon, die je bedoelt?

Ja, een bombardon. De witte man blies op zijn witte bombardon en er kwamen allerlei kleuren uit, geel, blauw, roze, rood, paars, en allerlei soorten groen. Meteen kreeg alles om hem heen kleur, de straten, de bomen, de huizen, de bloemen, de mensen. Maar er was een laatste kleur, en die bleef steken in de bombardon. De man blies uit alle macht, zijn wangen stonden bol van het geweld, en het zweet liep van zijn gezicht. Maar die laatste kleur kreeg hij er niet uit. Welke kleur zou het geweest zijn?

Hoe wil je dat ik het weet? Ik heb jouw droom niet gedroomd.

Ja, ze had zich aan de kinderen gewijd toen ze klein waren Maar nadien, toen de moeilijke jaren aanbraken, en de strijd tegen hem zich geniepig aankondigde, en ze de kinderen op haar hand wilde hebben, en gebiologeerd was door de vrees ze te ontstemmen, toen waren ze haar ontsnapt. Ze gingen ongekende wegen, Ann vooral, en ze liet ze die wegen gaan, haar onrust sussend met mooie teorieën over de voordelen van een vroege zelfstandigheid en het recht van de jeugdigen om te experimenteren.

Had ze schuld aan Ann's losbandigheid? De vraag kon ze niet wegwimpelen. Opeens voelde ze zich ellendig. Ze had een overwinning behaald op de onoverwinnelijke, een triomfantelijk gevoel had haar doortinteld. Het was verzwonden. Ze was de onzekere piekeraarster van altijd. Ze plooide zorgvuldig de mooie jurkjes en onderjurkjes, die ze voor Ann gekocht had en die het meisje nooit droeg. Ze plooide de grove katoenen pantalons, de truien en de teashirtjes, die ze wel droeg. Ze begreep Ann niet. Gelukkig had ze Els.

Els stelde zich aan Ann voor. Ze vond er eenvoudige woorden voor. Ze wekte een indruk van heldere rechtgeaardheid. Zo was ze ook geweest bij het eerste gesprek na de ontmoeting onder de stranddouche in Elounda, eenvoudig, doorzichtig, gevoelig, innemend. De dochter die ze zich gewenst zou hebben.

Geert en Treesje kwamen zich bij hen voegen. De sfeer was ontspannen. Ze vertelden over hun studies en over het vakantievermaak, tennis en zwemmen, en over de niet gerealiseerde droom: paardrijden en skieën. Ook plankzeilen stond op hun wenslijst. Op de grote plas vlakbij kon het geleerd en beoefend worden. Maar vader was in zo'n onmogelijke stemming dat hem niets kon gevraagd worden.

Nu de vader in het gesprek opgedoken was, viel er een stilte. De blikken waren even op Louisa gericht. Ze verwachtten of vreesden kommentaar van haar. Ze hield zich stil, ze wilde zich niet laten verleiden tot laatdunkende uitlatingen. Ze zouden het niet gewaardeerd hebben. Ze hadden hoe dan ook sympatie voor de man. Sympatie, ontzag, genegenheid, medelijden, de hemel wist wat ze precies voelden. Ze hadden hem machteloos gezien, tot in de ziel gekrenkt.

Misschien hoopten ze op een gebaar harerzijds, hoopten op haar terugkeer.

Ze zuchtte.

'Kinderen,' zei ze, 'we zullen jullie moeten verlaten, Ann, Els en ik. We gaan ergens buiten stad eten.'

Treesje vroeg of zij en Geert mee mochten gaan. Ze kon het niet toestaan. Tot het eind van de maand waren ze onder de hoede van hun vader gesteld. Vonnissen zijn er om nageleefd te worden. Voor Ann was er een akkoord van hun vader, ze begrepen waarom. Maar ze kon het niet op zich nemen van de goedgunstigheid van hun vader misbruik te maken.

Treesje drukte zich huilend tegen haar aan. Geert stond

bedremmeld toe te zien. Over het hoofd van Treesje heen gaf hij haar een vochtige zoen.

Ze moest zich losrukken. De verleiding om te blijven, of om Geert en Treesje met zich mee te nemen, werd onweerstaanbaar. Ze rende naar de auto en bracht de motor op gang nog voor Ann en Els ingestapt waren. Zonder naar de deur te kijken, waarin haar twee jongste kinderen stonden, startte ze met teveel gas, zodat de wielen doordraaiden op het grint en stof opjoegen.

Els, die achteraan zat, verbrak het stilzwijgen.

'Dat Treesje van je schijnt me een heel goed kind te zijn.'

'Dat is ze. Ook Geert is een goede jongen.'

Even later vervolgde ze.

'En ook Ann is een goed meisje.'

Er kwam een krop in haar keel. De angsten, die ze in Elounda had uitgestaan, kwamen weer opzetten.

'Ze is alleen ontspoord. Maar het komt met haar in orde.'

9

Door het openstaand venster keken ze uit op de rivier en op het kasteelpark, dat de andere oever beheerste. Van de rivier scheidde hen een hellend stukje weiland, waarop wat stuntelig beeldhouwwerk stond en een schommel ten behoeve van kinderen. Over het water scheerden meeuwen. Vlakbij en veraf was bij pozen gekwaak van eenden te horen.

Ze bestelden voor hun gedrieën de dagschotel en een kruikje wijn.

'We zullen niet praten over wat er met je gebeurd is, Ann,' zei Louisa. 'Minstens acht dagen rust heb je nodig om het te boven te komen.'

Ze aten zwijgend. Voor luchtig geklets was de stemming er niet. Een jongen en een klein meisje waren achtergelaten in een te groot huis. Ze hadden verdriet. Zij, Louisa, had schuld aan dat verdriet. Niet zij alleen. Ze moest er zich voor hoeden te zwaar aan de eigen verantwoordelijkheid te tillen. Zoniet liep ze gevaar opnieuw af te glijden tot de staat van onderworpenheid, die haar het gevoel gaf zich moedwillig te laten leeg plunderen.

'We zullen niet de hele tijd zitten zwijgen' zei Ann na een poos.

Ze had wat blos op haar gezicht, haar ogen hadden glans.

'Vertel over jullie vakantie op Kreta.'

Hoe vlug had ze zich hervat, hoe groot het rekuperatievermogen van de jeugd. En hoe jongvrouwelijk mooi was ze. Of ze lachte, of het gezicht in een peinzende plooi legde, of vorsend iemand aanstaarde, elke gezichtsuitdrukking had een biezondere bekoorlijkheid. Nu was ze vol aandacht voor Els, die vertelde wat haar in een kroegje van Elounda overkomen was. Ze leefde het gebeuren mee, haar ogen werden groot van verbazing en plooiden dan weer tot spleetjes bij een glimlach. Ze was ietwat te mager, te hoekig was de lijn van oorschelp naar kin en de bovenarmen misten ronding. Ook moest haar donkerblonde haar gebleekt worden, luchtiger, vaporeuzer gemaakt. Ze kon haast even mooi worden als de Française, de onvergetelijke vrouw van de man met het verminkte gezicht. Ze zag Ann schrijden door een zuiderse tuin naast een even attente man.

Ik boetseer het lichaam van mijn dochter, dacht ze. Ze wordt mijn meesterwerk. Ik zal niet vruchteloos geleefd hebben als ik aan de wereld het schouwspel kan bieden van een volmaakt paar. Niets is verrukkelijker dan twee welgeschapen mensenkinderen, die elkaar zonder aanstellerij lief hebben, en aan een wereld vol twist en krakeel tonen wat perfekte harmonie is. Ze had tranen in de ogen. Het was mogelijk. Ze had het met eigen ogen gezien. Maar niet enkel het lichaam moest geboetseerd worden.

Ook het onvatbare element dat men ziel pleegt te noemen. Ann's lichaam zou vanzelf tot rijpheid gedijen. Zelf zou ze met onfeilbaar instinkt vinden welke toetsjes ze moest aanbrengen om de aantrekkelijkheid ervan op te drijven. Daartoe had ze haar moeder niet nodig. Niet Ann's lichaam was het probleem. Het onvatbare element was het dat de moeder huiveringen van angst bezorgde, terwijl ze van het wijnglas nipte en het stukje ijstaart op haar bord te smelten lag.

De meisjes lepelden zwijgend. Het verhaal van Els was ten einde. Ze keken naar buiten. Het streepje rivier, dat door het open venster zichtbaar was, schitterde verblindend.

Louisa schoof haar bord van zich weg. Ze diepte een doekje en haar poederdoos op en werkte haar make-up bij.

'Ik word dwaas sentimenteel', zei ze. 'Ik ben zo blij Ann weer bij mij te hebben dat ik de waterlanders niet de baas kan. Ik zal moeten toegeven dat ik oud word.'

Els protesteerde. Dat Louisa ontroerd kon worden wees op een nog jeugdige ontvankelijkheid. Ze zou veel willen geven om een moeder te hebben, die een ontvankelijk hart had.

'Spreek geen kwaad over je moeder, Els' repliceerde

Louisa. 'Je hebt haar verdriet gedaan. Je kon er niet onder uit, dat weet ik, maar zij moet het toch gevoeld hebben. Trek in koffie? We kunnen die buiten gebruiken. Het weer is even mooi als in Elounda.'

Ze gingen zitten op gammele vouwstoeltjes rond een roestig metalen tafeltje. Er waren roeiers op de rivier, twee ranke bootjes, een wit en een rood. Een man met naakt bovenlijf riep van uit het witte bootje naar de vrouw in badpak in het rode bootje. De vrouw schaterde. Hun stemmen klonken luid. De riemen plonsden hoorbaar in het water. Heel hoge vliegtuigen, die op doorzichtige garnalen leken, trokken zuivere kondensatiestrepen over het blauw. Ze dacht aan de twee roofvogels, die boven hun schip op het meer van Geneve waren blijven cirkelen en zocht naar de gedachten die toen door haar hoofd waren gegaan.

De koffie werd gebracht, voor elk van hen een koperen kannetje, en twee koekjes in micaverpakking.

Het onvatbare element, de ziel, moet ik genezen, dacht ze. Dingen bijbrengen als zelfrespekt, eergevoel, ambitie. En afkeer voor het vulgaire, voor hetgeen niet past bij het beeld van het harmonische paar, dat bewonderd langs de wegen schrijdt. Afkeer van het roezige genot van één nacht, dat neerhaalt, en de mooie toekomstperspektieven in rook doet opgaan. Een snuifje religie kan dienstig zijn. God heeft het allemaal zo mooi en goed gewild. Wij, mensen storten ons te woest op het genot en brengen aldus de goede orde in de war. Moeilijk, de juiste woorden te vinden, en ze bovendien op het goede moment uit te spreken. Het moment is even belangrijk als de woorden zelf. Ook de persoon, die de woorden zegt, is van belang. Zijn levenswijze moet laten zien dat hij achter die woorden staat. Wie ben je, Louisa Van Gassel, dat je je het recht aanmatigt om je dochter te kapittelen, jij, die je gezin in de steek liet en naar het zuiden trok, hopend op God weet welke avonturen?

Ze zuchtte, schonk voor zichzelf in, verkruimelde een koekje, wierp het brokkelige resultaat in haar mond, sloeg de gemorste kruimels van haar schoot.

'Geen biezonder nieuws in de buurt, in de stad?'

Ann slurpte van haar koffie en wierp het hoofd achterover.

'Mevrouw Mommens is gestorven.'
'Mevrouw Mommens? Ze is jonger dan ik. Een ongeval?'
'Neen. Ze was ziek, ongeneeslijk. Zij en haar man wisten het al twee jaar. Ze hadden samen beslist het aan niemand te zeggen, en zo lang mogelijk te doen alsof er niets aan de hand was. Ze gingen verder uit en ontvingen vrienden. Met Pasen zijn ze nog op reis geweest, naar de Noorse fjorden geloof ik. Twee dagen voor haar dood is ze alleen naar het ziekenhuis gereden voor bestraling. De dag daarop was ze uitgeput. Ik zal vannacht sterven, zei ze tegen haar man. Ze was maar enkele uren mis. Ze stierf de morgen nadien.'
Ann vertelde het op vlakke toon, met half geloken ogen voor zich uit starend. Het volle zonlicht, waarin ze nu zat, vleide haar figuur niet. Op de linker koon kleurde de blauwe vlek mauve onder de camouflerende huidcrème. Zweetdruppels parelden erop. Wie niet wist kon een huidziekte vermoeden, of erger, de onnoemelijke kwaal, waaraan mevrouw Mommens gestorven was.
'Wie heeft je dat alles verteld.?'
'Haar man. We zijn met zijn allen gaan kondoleren.'
En nadien, dacht Louisa, heb je je wilde nacht beleefd. Of meerdere wilde nachten. Was er een verband?
Jef Mommens en zijn vrouw schenen een paar zonder zorgen te zijn. Een royaal inkomen, geen kinderen, en de halve stad te vriend. De vrouw was niet bepaald een schoonheid, maar ze was innemend en altijd goed gemutst. De sportieve man, lid van twee tennisklubs en haast elke avond ofwel ergens te gast of met bezoek aan huis, week met zijn wilde haarbos af van het traditionele type van gladde bankdirekteur, maar hij stuurde suksesrijk zijn schip met een schijnbaar nonchalante stijl. Een zorgeloos gelukkig paar, had Louisa gedacht, had iedereen gedacht. En onderhuids woekerde de onverbiddelijke kwaal. De mensen zijn niet zoals ze zich voordoen. Misschien loopt iedereen met een onderhuidse kwaal. Haar kwaal was de angst om Ann, om het onvatbare element van Ann, dat ziek was en dat ze helen moest. Ze had meer onderhuidse kwalen, die ze niet meteen een naam kon geven. Het besef kwaad te hebben gedaan bijvoorbeeld, een man en drie kinderen ongelukkig

te hebben gemaakt. Het had een naam, het heette wroeging, het gistte, het streed tegen een ander deel van haar wezen, dat het uitschreeuwde dat ze meer dan gelijk had, dat ze zich niet tot het eind van haar dagen op de kop kon laten zitten.

Ann legde aan Els uit wie de Mommens waren en hoe ze leefden. Er lag een nauw merkbare trilling van ontroering in haar stem. Allebei de meisjes bewonderden de moed, waarmee die lieden hun lot gedragen hadden.

'Een haast bovenmenselijke moed' zei Els. 'Hoe kan iemand nog gelovig blijven als hij dat meemaakt? Fijne mensen worden vreselijk getroffen en nietsnutten blijven rondlopen al doen ze alles om hun gezondheid naar de bliksem te helpen.'

Hun gedachten blijven bij het echtpaar Mommens, stelde Louisa vast. Ik daarentegen denk aan me zelf. Al wat er gezegd wordt en al wat er gebeurt breng ik met me zelf in verband. Ik ben ontzettend egocentrisch, het is niet de eerste maal dat ik het konstateer. Daarom moest het spaak lopen in het gezin. Ik was uitermate kwetsbaar. Niemendalletjes brachten me van streek. Ik liep rond met een gezicht van eeuwig verongelijkte, een gezicht van martelares, dat op de zenuwen werkte van de zich uitslovende man. Hij schoot uit, hoe kon het anders? En van de weeromstuit zwol mijn verbittering aan. Tot het ondraaglijk werd. Het was een spiraalbeweging naar beneden, naar de kern van me zelf, het onbestemde gevoel nergens bij te horen, het gevoel van verworpenheid. Waar ben ik aan toe? Ik ploeter in zwartgallig gefilosofeer. Zo kom ik er nooit uit. De zon schijnt, de meisjes praten losjes met elkaar. Ze hebben elkaar gevonden. Ik hoor er niet bij.

Haar blik dwaalde af. Er waren wandelaars op het jaagpad, ouders met kleine kinderen. Een lange magere man trok haar aandacht. Naast hem liep een minuskuul vrouwtje dat een kinderwagen voortduwde. Voor hen uit peddelde een jongetje op een kinderfiets.

Het zwarte sikje van de man en zijn houterige bewegingen riepen verre herinneringen op. Rudolf Vanbraekel was het, de schuchtere verliefde uit haar jonge jaren.

'Rudolf' zei ze half luid.

De meisjes staarden haar verbaasd en vragend aan. Ze glimlachte verward. Het was alsof plots een sluier weggevallen was van voor een onbekenbaar deel van haar wezen en ze naakt te kijk stond. Ze voelde zich rood worden.

'Rudolf Vanbraekel' stamelde ze. 'Een gewezen kollega-leraar. Daar loopt hij met zijn vrouw en zijn kinderen. Zou ik hem goeie dag zeggen?'

Ze gloeide, ze was bepaald potsierlijk.

'Waarom niet? Wat is eraan gelegen?'

De stem van Ann was het, die zich bedwong om het niet uit te proesten. Ze was al op weg, het hellend stukje weiland onhandig afdalend op haar hoge hakken. De blik van Ann was een mes in haar rug. Ze was eens te meer onbeschut prijsgegeven aan vernietigende krachten. Waar was de kranigheid gebleven waarmee ze de zware man getrotseerd had om hem Ann te ontrukken? Ann, was het die nu een zwak moment te baat nam om haar te krenken. En ze verdroeg geen krenking, ze was egocentrisch, ze was ontzettend kwetsbaar.

'Meneer Vanbraekel. Rudolf Vanbraekel.'

Haar bevende stem bereikte de man en haalde hem weg uit een gedachtengang. Het fronsend gezicht dat hij haar toe wendde drukte wrevel uit. Een jong gezicht was het, lang niet zo scherp als datgene dat in haar herinnering opgedoken was, en grover, plebejischer.

'Exkuseer, het is een vergissing. U gelijkt op iemand, die ik gekend heb. Het is een vergissing.'

Weer naar de meisjes, de helling op, onder hun blikken die haar opnamen. Ze liet zich op het stoeltje neer, en vertrok haar gezicht in een brede lach.

'Hij was het niet. De man, die ik meende te herkennen, moet zeker twintig jaar ouder zijn. Ik heb hem al die tijd niet ontmoet. Hij was in mijn herinnering jong gebleven.'

Ann bedwong zich niet meer, ze schaterde. Haar vrolijkheid werkte aanstekelijk. Ook Els ging aan het proesten, onderdrukt eerst, dan volslagen losgelaten. Ook Louisa voelde haar gezichtsspieren trillen. Uit haar keel welde de bevrijdende lach, die tranen uit haar ogen perste. We komen uit een nachtmerrie, dacht ze. Nu pas is de druk weggevallen. Daarvoor was het nodig dat de goede Rudolf uit het verleden opdook. De schim van Rudolf, de gebrekkige nabootsing van wat hij was. Wat zou er van hem geworden zijn? Nog steeds dwaas schaterend, voelde ze een pijn, die groeien kon als ze erop inging. Als ik een avonturierster was, zou ik naar hem op zoek gaan, dacht ze. Maar ik ben geen avonturierster. Ik mag het niet zijn. Omwille van Ann, omwille van Geert en Treesje. Omwille van me zelf.

10

's Avonds deed het gerinkel van de telefoon haar opschrikken. Geen van de meisjes maakte aanstalten om op te nemen. Het was haar woning, de oproep was voor haar bestemd.

Bleek en bevend schreed ze naar het toestel. Ze vreesde dat hij het zou zijn, met een vraag, met een smeking, die ze zou moeten afwijzen. Voorzichtig afwijzen, derwijze dat het als een voorlopige houding kon opgevat worden, die ze eerlang kon herzien. Teveel hoop geven mocht niet, en alle hoop kelderen evenmin.

Geert's stem in het toestel. Ze zuchtte opgelucht. Hij vroeg hoe Ann het maakte. Uitstekend, antwoordde ze. Ze hadden een gezellige middag gehad en zaten nu wat te praten.

Geert aarzelde even. Dan vroeg hij of Treesje en hij 's anderendaags de middag met haar en Ann konden doorbrengen.

'Ik zou niets liever hebben' antwoordde ze, 'maar je weet wat de rechtbank beslist heeft. Ik kan het enkel toestaan als je vader akkoord gaat. Vraag het hem.'
'Hij zal het niet toestaan.'

Er werd afgehaakt. Ze bleef nog een poos met de hoorn tegen haar oor gedrukt, alsof ze nog meer woorden verwachtte. Die zouden er niet meer komen. De stem van Geert had mistevreden geklonken. Het bracht haar van streek. Ze had het zo goed met de twee meisjes. Ze voelde zich als iemand, die van een slepende ziekte herstellende is, en door weldoende genegenheid omringd is, een groezelige toestand, waarin ze zich drijven liet. Geert en Treesje zouden haar voor zich opeisen en stoornis brengen in het langzame proces. Ze was er nog niet aan toe zich met hen in te laten, ze had teveel met zichzelf te doen. Op haar egocentrisme schampte de oproep af, ze was er niet voor beducht een kat een kat te noemen, ze schepte zelfs behagen in het ontluisteren van haar eigen figuur. Ook dat behoorde tot haar langzame herstel. Al was het een tweesnijdend mes, want meteen kwam de wroeging uit een schuilhoek, een ondier dat haar belaagde en dat de slaap zou beletten.

'Eigenlijk is het niet kwaad dat ze naar jullie verlangen' zei Els. 'Het is daarom niet nodig dat aan die verlangens meteen voldaan wordt.'

Els had het geheim van uitspraken, die een luik openstoten, waardoor het zonnelicht in een donkere kamer duikt. In een impuls van dankbaarheid vatte Louisa het gezicht van Els tussen haar handpalmen en drukte een zoen op haar voorhoofd.

'Het is verbazend hoe goed jij me begrijpt.'

Meteen maakte onbehagen zich van haar meester. Voor het ambigue gevoel dat haar naar Els dreef waren woorden te grof.

'Wensen jullie een slaapmutsje?'

Zonder op antwoord te wachten plaatste ze de glaasjes op een blad en de cognacfles ernaast. Tot driemaal toe schonk ze vol. Het werd een geforceerd vrolijke bedoening. Er werd uitgebreid goede nacht gekust en ze slaagde erin de slaap te vinden eer haar hersenen uit de verdoving ontwaakten.

Toen het licht op de overgordijnen en het straatlawaai de dag aankondigden had ze het gevoel dat er iets mis was. Het duurde een poos eer het tot haar doordrong dat de meisjes reeds opgestaan waren. In het keukentje kletterde de vaat. Ze waren bezig met omwassen wat de avond te voren gebruikt was. Aan de geur van opgegoten koffie was te merken dat ze het ontbijt klaar maakten. Ze praatten met elkaar op fluistertoon. Het was een radde konversatie met vlugge invallen van woord en wederwoord. Het minst onderdrukt klonk de stem van Ann. Af en toe was een heftige uitroep van haar verstaanbaar. 'Dat nooit', of 'mij niet gezien', of 'het zou er nog aan mankeren'. Telkens kwam Els sussend tussenbeide met een gefluisterde monoloog, waarvan de toon te naaste bij belerend was. Ze hadden elkaar gevonden, die twee, ze kwamen los als ze onder hun beidjes waren. Zij, Louisa, hoorde er niet bij. Het te konstateren bedroefde haar. Als het met Ann in goede banen gebracht kon worden, zou het niet aan haar te danken zijn, maar aan Els. Indien Els althans de juiste bedoelingen had. Welke waarborgen bood de haast onbekende Els? Was het geen abdikatie haar haar dochter voetstoots toe te vertrouwen? Had ze niet de plicht die gesprekken onder kontrole te houden? En haar standpunt te laten gelden? Wat was haar standpunt? Wat had ze in het midden te brengen? Op welk gezag kon ze aanspraak maken? Vragen, waar ze tegenop zag. Kon ze maar weer indommelen, geen weet hebben van eender welke narigheid, wegglijden in een gebied waar de hersenen uitgeschakeld waren. Een eerst ontwaken als Els de taak tot een goed einde had gebracht. Zie hier, Louisa, je dochter Ann, herschapen tot een ernstig meisje, blij met de gewone dingen, zonder hunker naar spoedige bevredigingen, afkerig van wat neerhaalt, evenwichtig en toch dartel, helder en toch misterieus, betrouwbaar maar niettemin onberekenbaar, fris als een lentemorgen maar meteen zwanger van de wijsheid die de vroege ervaringen hebben bijgebracht, een meisje zoals elke moeder haar dochter droomt, en mooi bovendien, je aanstarend met ogen waaruit het verlangen spreekt het iedereen naar de zin te maken, en waarin het vuur smeult van een onderdrukte hunker naar vervulling, naar zelfrealisatie.

Het was prettig zich op zulke ijle bespiegelingen te laten vlotten. Els, zou het klaren, Els was druk in de weer. Goede Els, onschatbare vriendin. Laat ons hopen dat je tegen de taak opgewassen bent, de geweldige taak, ik begin pas te beseffen hoe geweldig ze is. Het magnifieke lichaam van Ann is gewend geraakt aan veel gestreel. Het hart was er niet bij. Laat ons hopen dat het hart gaaf gebleven is, tot trouw in staat. Het lijf zal zijn deel blijven opeisen. Het moet een verdomde wellust zijn zich te kunnen vlijen tegen diverse borsten, wellust van de zinnen en ook machtswellust. Maar te wenken te hebben, en ze zijn daar, de ruige kerels met hun stevig geslacht, ze verdringen elkaar, ze putten zich uit om je te bevredigen. Verdomde wellust die ik nooit gekend heb, nooit gewild heb, waarnaar ik misschien verlangd heb, verworpene die ik ben, plots hevig verlang, en het beklaag ginds in Elounda voor niemand anders aandacht gehad te hebben dan voor de inpalmende Els met haar verdriet en haar aanhankelijkheid.

Ik speelde er moeder, ik zette bij een vreemde mijn taak voort terwijl ik drie weken lang onbekommerd en straffeloos minnares had kunnen zijn, en terug keren naar het grijze land als een veroveraarster, bewust van mijn onverminderde mogelijkheden. Best dat ik het kapittelen aan Els kan overlaten. Want ik begrijp Ann te goed, ik voel wat zij gevoeld heeft, ik ben geen haar beter.

Ze moest toch ingedommeld zijn. Twee kussende monden wekten haar, een op elke wang. Links stond Els, rechts Ann. Ze schaterden terwijl haar blik van de ene naar de andere ging.

'Het ontbijt is klaar. Wil mevrouw het op haar bed hebben? Of ziet ze er niet tegenop met ons aan tafel te komen?'

'Hoe laat is het' vroeg ze.

'Half negen'.

Ann hielp haar in haar kamerjas terwijl Els het gordijn open trok.

Ze doen ongedwongen alsof ze nergens om bekommerd zijn, dacht ze. Maar zo zijn ze niet. Ann denkt aan de ruige kerels in haar bed. Els is haar dode zus niet vergeten. Het leven is beangstigend kort. Pas heeft de zomer zich aangemeld en reeds staat de herfst voor de deur. En Bea Mommens is gestorven. Morgen kom ik aan de beurt. Morgen komen we allen aan de beurt. Raketten met kernkoppen zijn op ons landje gericht. Zeg aan de jonge lieden: wees geduldig, je hebt kans op een lang mooi leven, vergooi je kansen niet omwille van een dolle neukpartij. Het is haast tergerij dat te zeggen wanneer de raketten klaar staan om in een oogwenk hier alle leven te verdelgen.

'Er is geen brood, maar we hebben beschuiten ontdekt. Wens je jam of honing?'

'Enkel koffie en een sigaret.'

De meisjes zetten gretige tanden in beschuiten, waar de jam van droop. Gretigheid in alle opzichten is een eigenschap van hun leeftijd. En er werd hun zelfbeheersing gevraagd, tucht, bijna ascese. Je zou medelijden met ze moeten hebben, en medelijden is een slechte raadgever voor wie moet opvoeden. Wat al grote woorden! Je kunt er bij hen niet mee voor de dag komen. Wat hadden ze elkaar te vertellen?

Louisa dronk wat koffie en nam toch een beschuit. Wat met hen te eten zou haar uit de afzondering halen.

Ann somde op wat er in de streek te bezichtigen en te beleven viel, een paar kerken, een raadszaal, een museum, zwembaden. Een zwembad, op een beboste heuvel gelegen, twintig kilometer ver, was een uitstap waard. Je kon er ook te eten krijgen op een terras, waar je een mooi uitzicht had.

'Vraag aan je moeder of ze er ons heen wil rijden' zei Els.

'Vraag het zelf' antwoordde Ann. 'Jou kan ze niets weigeren.'

Ze proestten het alle drie uit.

Goed, ze zouden naar Kluisbergen rijden. Maar eerst moest ze naar de bank om geld te halen. Ze was bijna zonder.

'En om onderweg een badpak voor mij te kopen' zei Ann. Ze kreeg haar badpak. Els, aan wie ze er ook een aanbood, weigerde kordaat. Tegen elf uur waren ze ter bestemming. Toen Louisa via de verplichte douchetunnel aan de boord van het bad kwam, waren de meisjes reeds om het vlugst aan het zwemmen. Els lag twee lengten voor. Louisa dook van op de boord, bleef met lange halen onder water zwemmen. Ze kwam halverwege boven, haalde adem en dook weer onder. Het deed haar goed haar spieren te spannen en te ontspannen, aan niets anders te denken dan aan haar vlot funktionerend lichaam. Ze was nog lang niet uitgeteld. Ze had een lastige reis achter de rug, ze had in een stormachtig uur een overwinning behaald op de onoverwinnelijke, en het had haar niet uitgeput. Zie, ze was aan haar vierde kering toe, en nog immer deden haar spieren onverzwakt hun werk. Krachtig waren haar bewegingen, diep drong telkens de lucht in haar longen en fors werd hij uitgestoten. Hoe zou ze kunnen versagen voor de moeilijkheden met Ann, zij die hem de baas had gekund. Ann, mijn lieve, we brengen het in orde, wij, jij, Els en ik. Je wordt het mooie evenwichtige meisje waarvan ik gedroomd heb. Mooi en evenwichtig maar niet al te evenwichtig. Geen trut wil ik hebben, geen uitgebluste kween. Zoals Els wil ik dat je bent. Els, die je van mij afneemt. Ik gun het je, ik offer me op.

Ze hees zich niet zonder moeite aan de boordsteen op en klauterde uit het water. Ze hijgde wat en haar hart ging heftig te keer. Zeker tien keer had ze vlug over en weer gezwommen. Licht duizelend liet ze zich op een bank neer en keek uit naar de meisjes. Eerder dan zij hadden ze het bad verlaten, en nu zaten ze aan de overkant op de rand, naar elkaar toegekeerd in een identieke houding, de handen gekruist om de opgetrokken knieën heen. Op hun natte schouders legde de zon kladden glans. Ze vormden een mooi stel zoals ze daar zaten, roerloos in het water weerspiegeld en zelf elk als een zijdelingse afspiegeling van elkaar. Een ontrouwe afspiegeling. Els de minder geslaagde omgekeerde herhaling van Ann. Ze praatten heel rustig. Amper was het bewegen van hun lippen merkbaar. Wat hadden ze te vertellen? Je bent als veertiger geneigd te denken dat wat er door jonge hoofden gaat zonder belang is, gezwam over pretjes allerhande, over vrijpartijtjes zonder toekomst, over hebbelijkheden van ouders, leraars, leraressen, professoren. Maar je weet er niets over. Misschien is het uitermate belangwekkend. Deze generatie heeft geen rigied levenspatroon meegekregen. Men heeft hen tot zelfstandig stellingnemen aangemoedigd, en dit in een wereld waar onbesuisd afgebroken wordt wat vroeger voor onaantastbaar gold, en waar roekeloos geëxperimenteerd wordt met partnerruil, homosex, groepssex, abortus, terwille van de lieve vrijheid, terwille van de onbelemmerde ontplooiing van de individuele mogelijkheden, terwille van de vervulling van onrealistische verzuchtingen. Aan het begin van hun leven staan ze voor de keus, ofwel het oude relatief veilige spoor volgen, ofwel de onoverzichtelijke paadjes die in struikgewas onderduiken en waarvan niemand kan voorspellen waar ze uitmonden. En ze zijn jong, het nieuwe en onbekende trekt ze aan en het oude spoor is weinig verlokkelijk. Ze hebben de nadelen ervan opgemerkt, soms aan de lijve ondervonden, zoals Ann, zoals Els. En ze zijn verwend, ze hebben het in zeker opzicht tien keer beter dan welke vroegere generatie ook. Het moet een ingewikkeld warnet zijn dat in die jonge hoofden hangt.

Een wolk schoof voor de zon. Meteen stak een bries op die een huivering over haar rug joeg. Ze ging languit op de bank liggen. Op de duiktoren, die ze in het oog had, klom langzaam een neger. Hij stond een poos op het uiteinde van de wipplank te wiegen, om zich heen kijkend naar bewonderaars van zijn prachtig ebbenhouten lichaam. Een vlamrood broekje spande om zijn puilend geslacht en aan allebei zijn polsen schitterden gouden armbanden. Met een lichte kreet stootte hij zich van de plank af, maakte een buiteling en schoot haast zonder plons loodrecht in het water. Toen hij opdook werd bravo geroepen. De bijval kwam van Ann en Els. De overige badgasten, kinderen meestal, die met grote ballen stoeiden, keken niet eens op. De neger herhaalde nog driemaal zijn kunstige duiksprong. Dan crawlde hij twee keer heen en weer, moeiteloos het water klievend. Ten slotte duwde hij zich vlak naast de meisjes aan de boordsteen op, wentelde zich gezwind om, en zat, met de voeten in het water hangend, naast Ann. Er ontspon zich een gesprek. Louisa richtte zich op om het drietal in de gaten te houden. Ann was het die van antwoord diende. Ze had haar naar Els toegewende houding verlaten, zat nu naast de zwarte man, en liet ook haar voeten in het water bengelen. Haar huid leek haast wit in het zwarte badpak, dat aan haar lichaam kleefde en meer onthulde dan kleedde. Ze had een spulletje gekozen met draaddunne schouderbandjes, uitgesneden tot aan het middenrif en de borsten amper bedekkend. Els, bruin van de Kretenser zon, leek in haar tweeledig badpak minder bloot, hoewel er minder textiel aan haar besteed was. In het gesprek was ze niet betrokken. Ze bleef afzijdig terwijl Ann, al maar neen schuddend en achteloos lachend, de man aan het lijntje hield. Ten slotte liet Els zich in het water glijden en zwom traag naar de overkant, Ann met de neger achterlatend. Het gesprek bleef duren en wrevel maakte zich van Louisa meester. Even dacht ze eraan zich ermee te gaan moeien, maar dan zag ze dat de blikken van allebei op haar gericht stonden. Ze kon nu ook af en toe een woord opvangen, want de stoeiende kinderen hadden het bad verlaten.

'Votre mère? Elle est raciste, votre mère?'

Wat Ann antwoordde kon ze niet begrijpen. De neger vloekte hoorbaar, dook in het water, demonstreerde minuten lang zijn superieure zwemkunst en verliet het bad langs een laddertje. Van op de overkant wierp hij Louise een raadselachtige blik toe terwijl hij zich langzaam afdroogde met een handdoek, die dezelfde vuurrode kleur had als zijn broekje.

Els had zich weer bij Ann gevoegd. Zij was nu bestendig aan het woord. De replieken van Ann bestonden uit niet meer dan een paar woorden. Louisa ging weer liggen. De zon scheen volop. Ze deed de ogen dicht, wilde kommerloos genieten, maar onrust bleef werkzaam. Wat hadden Ann en Els aan elkaar te vertellen? Ze spande zich in het zich voor te stellen.

Els: Je zou je beter in acht moeten nemen.

Ann: Wat heb ik verkeerd gedaan?

Els: Zo te zien, helemaal niets. Maar onder je schijnbaar onschuldig gedoe stak er een perverse bedoeling: de vreemdeling lokken en als je hem goed en wel te strikken had, hem afstoten, hem vernederen, hem weren als een minderwaardig wezen. De man is gekrenkt tot in de ziel.

Ann: Als jij zin had om met hem op stap te gaan, had je het moeten doen. Ik hield je niet tegen.

Els: Met hem op stap gaan zou de zaak alleen maar erger gemaakt hebben. Je weet best wat ik bedoel.

Ann: Kun je mij verantwoordelijk stellen voor het verdriet van al de mannen, die ik niet ter wille kan zijn?

Els: Je ontwijkt, Ann, je bent niet eerlijk. Met wat gelonk en wat geschitter van ogen en tanden kun je eender welke man het hoofd op hol brengen. Het is een gevaarlijke macht. Je zou er niet te pas en te onpas gebruik van mogen maken.

Ann: Je zou willen dat ik meteen stekels uitzet als een man mij benadert. Als ik de vreemdeling geen blik en geen woord waard had geacht, zou hij zich dan beter gevoeld hebben?

Els: Je ontwijkt weer, je bent moeilijk te vatten. Ik hoef niet uit de doeken te doen hoe je die man aangemoedigd hebt. Ik ken het spel en jij kent het beter dan Ik. Je hebt geen gevoel voor wat je die lieden aandoet. Dat is het wat ik je verwijt, gemis aan gevoel voor wat er bij de anderen omgaat.

Ann: Je bent een strenge zedenmeesteres, Els, strenger dan mijn ouders. Ik wed dat mijn moeder er stiekem trots op is dat de mannen mij achterna lopen. Al zal ze het niet toegeven.

Els: Mogelijk dat ze er trots op is, maar zeker is ze vol angst. Ik heb een stuk vakantie met haar doorgebracht, ik weet hoe ze is. Ze is echt wat men van een moeder verlangt. Ik ben haar veel verschuldigd, al zou ik het antwoord schuldig blijven als je me vroeg precies uit te leggen wat ze voor mij gedaan heeft. Het ligt aan haar persoon, aan haar bereidheid om te luisteren, aan haar aandacht. Zoveel gemoed heb ik nog bij niemand gevonden, behalve misschien bij mijn ongelukkige zus. Ik hou veel van haar. Ook voor jou voel ik veel, Ann. Je bent innemend en tot op zekere hoogte ook oprecht. En kwetsbaar, kwetsbaar als mijn ongelukkige zus. Je vervangt voor mij die zus. Zoals ik voor haar vreesde, zo vrees ik voor jou. Ik zou je willen beschermen tegen je zelf, tegen die gevaarlijke macht van je, waarmee je zo roekeloos omspringt. Telkens als ik je zou zien begeven tot een van die spelletjes waarin je zo bedreven bent, zou ik je bij de arm willen nemen en je toefluisteren: lieve Ann, neem je in acht.

Louisa rukte zich los uit haar gefantaseer, dat dreigde af te glijden naar het gebied waarvoor ze beducht was. Ze moest zichzelf andermaal halt toeroepen. Els zag in haar niets anders dan de moeder die ze had willen hebben. Niets anders. Niets anders. Ze mocht het lieve kind er niet van verdenken met Ann onoorbare spelletjes te beramen. Alsof er gevaar bestond dat Ann zich daartoe zou laten verleiden, Ann, van wie ze toch wist dat ze op ruige mannelijkheid gesteld was. Hoewel, ze was haar dochter, en als ze in zichzelf keek...

Ze waren opgestaan en schreden over het rood betegelde pad naar de bank waarop ze lag.

'Els heeft honger' zei Ann.
'We hebben allebei honger' zei Els.
'Alle drie' vulde zij aan.
Ze bestelden uitsmijters en gingen in badpak op het terras zitten. Het was nog altijd vakantie, de ongedwongenheid, de losse stijl, de zon, de wind, de boomkruinen, de verten, de toevallige ontmoetingen. Zorgen kwamen af en toe aan de oppervlakte om te melden dat ze niet weggecijferd waren.
'Die neger leek erg in zijn schik met zijn body' zei Louisa. 'Wat wilde hij van jullie?
'Een aperitiefje offreren, en horen waar je in de omgeving 's avonds kon gaan dansen. Hij woont in Parijs en is met vakantie in Roubaix, chez une cousine. Hij rijdt met een jaguar en hij was erg ontgoocheld als we bekenden, dat we zijn fameuze wagen op het parkeerterrein niet opgemerkt hadden. Als ik hem niet wandelen had gestuurd zou hij voor ons zijn hele hebben en houden uit de doeken gedaan hebben.'
Het gesprek stokte. Iets werd verzwegen, dacht Louisa, of althans niet waarheidsgetrouw voorgesteld. Els had Ann gekapitteld met betrekking tot de neger. Ze hadden getwist, ze had goed geraden. De schuine blikken, die tussen twee happen in van de ene naar de andere flitsten, gaven te kennen dat iets, wat hun gedachten bezig hield, onuitgesproken bleef. Spoedig zou ze het van Els te weten komen, ze kon haar niet van gemis aan loyauteit verdenken, ze hoefde alleen geduld te oefenen.
'Wat verkiezen jullie als nagerecht?'
Het werden geflambeerde pannekoeken met koffie. Eer het bestelde gebracht werd, stond Els op en verdween in de richting van de toiletten. Louisa was met Ann alleen, voor het eerst sinds haar terugkeer met haar dochter alleen. En onwennig, niet wetend waarover te praten, haar blik zoekend en van haar weg kijkend zodra ze hem kruiste. En ook angstig, beseffend dat een verkeerd woord of een onhandig gebaar de goede wending in gevaar kon brengen. Indien er althans een goede wending was. Indien dat tot de mogelijkheden behoorde.
Ann was het, die het ijs brak. Ze ging voor haar doen

sentimenteel te werk, en aarzelend, beroofd van haar gewone radheid. Ze nam haar moeders hand in haar beide handen.

'Ik moet je wat zeggen, moeder. Je zult verbaasd staan. Els wil dat ik je ertoe overhaal bij vader terug te keren.'

'En ben je het daarmee eens?'

'Ik begin te geloven dat ze gelijk heeft.'

'Jij, die me aangepord hebt om te scheiden...'

'Ik weet het, moeder. Het spijt me.'

'Jij, die door hem mishandeld werd.'

'Ik had me dwaas gedragen. Els zegt dat ze nooit een man gezien heeft, die zo gebroken was als vader gisteren morgen. Iemand, die door wat er gebeurd was in die mate getroffen is, kan volgens haar geen slecht mens zijn. Ze had medelijden met hem, zegt ze. Meer medelijden met hem dan met mij, zegt ze, al was ik toegetakeld. Ook dat geweld, zegt ze, toont aan hoe machteloos de man was. Hoe vernietigd. Dat was de uitdrukking die ze gebruikte: vernietigd.'

'Eerst heeft hij mij vernietigd. Als je geheugen je niet in de steek laat, zul je het je herinneren. Ik moest van hem weg om me zelf terug te vinden. Ik ben pas op weg naar de genezing.'

'Daar komt Els terug. Laten we het er niet over hebben, terwijl zij erbij is.'

Els ging zitten. Haar blik gleed van de ene naar de andere. Dan glimlachte ze. Een onmerkbare mimiek van Ann had te kennen gegeven dat het delikate onderwerp aangesneden was. Meer verlangde Els voor het ogenblik niet. Een bliksemoverwinning behoorde niet tot de mogelijkheden. Ze had een strategie van vrij lange adem op het oog. Ze was schrander, ze had het in een half uur klaargespeeld Ann voor haar wagen te spannen. Schrander en goed. En ook Ann was goed, verbazend goed, vermits ze zich tot medewerking leende. Ze kwam van ver terug. Haar wrok had ze afgezworen. Hoe kon ze het? Het was het werk van Els, de telkens weer verrassende Els. Er ging iets als een magie van haar uit.

Louisa bevond zich in een benarde situatie. De zaken stonden op hun kop. Zij was de oudere. Volgens de normale gang van zaken hadden de meisjes van haar wat wijsheid moeten opsteken. En nu hadden die bakvisjes het bekokstoofd haar op het rechte pad te brengen, het pad van de echtelijke trouw, van de duldzaamheid, de vernedering. Ze had kunnen uitschieten. Voor wie houden jullie mij? Een ouderwetse huissloof, die het zich allemaal laat welgevallen, die geen mieter zelfrespekt heeft, die op zich laat trappen en niet eens te protesteren durft? Stellen jullie zich voor wat er van mij zou geworden, als ik het hoofd in de schoot heb gelegd? Stellen jullie zich voor hoe hij zou triomferen? Wie zou hem nog een stro in de weg kunnen leggen? Het woelde in haar. Ze formuleerde stilzwijgend haar verzet, maar geen woord kwam over haar lippen. Ze kon gewoon niet dwars zijn tegenover die goede bedoelingen, tegenover de vergevensgezindheid van Ann, tegenover de ijver van Els. Ze willen een martelares van mij maken, dacht ze. Moeder en martelares, kan het ene zonder het andere? Ze had tranen in de ogen. Door het waas van de tranen heen zag ze de meisjes met elkaar praten, en plots verrast haar fixeren met half geopende mond.

'Waarom nu verdriet hebben, mams?'

Ze streek met de rug van haar hand over haar ogen.

'Ik dacht aan jullie toekomst. Jullie zullen trouwen, of in elk geval een man kennen. Jullie verlangen daarnaar. Jullie koesteren grote verwachtingen. En het kan een vreselijke ontgoocheling worden. Ik weet waarover ik spreek'.

Ze loog maar half. In haar gedachten was haar eigen miserie gemengd met bezorgdheid om de twee meisjes.

Er was een poos stilte. Ze keken gegeneerd van haar weg, naar de speelweide, waarop gezinnen zich in meegebrachte klapstoeltjes installeerden, of over die weide en over de boomkruinen heen naar de verte, de onbekende verte, waarvoor zij hen bang gemaakt had.

'Ik meen' zei Els met gefronsd voorhoofd 'dat wij beter dan de vorige generaties tegen de ontgoochelingen gewapend zijn. We vatten het niet zo idealistisch op. En we hebben ook een en ander meegemaakt.'

Na een poos keerde ze zich tot Ann.

'Meen je het ook niet, Ann?'

Ann lachte.

'Een en ander meegemaakt hebben we zeker. Ik in alle geval. Misschien worden we vroeg wijs.'

Daarmee was de vrolijkheid er terug. Geen argeloze vrolijkheid, eerder een gespeelde vrolijkheid, bedoeld om de zorgen het zwijgen op te leggen.

Op voorstel van Ann gingen ze wandelen in het bos. Het werd een lange tocht, op en neer, over glibberige paadjes, waar bladeren van jaren her zich in een slijkerig humus ontbonden. Op de hellingen boden Els en Ann aan Louisa omhoog te helpen. Ze wees de hulp af. Ze was nog niet zo oud dat ze het op haar eentje niet zou kunnen. Hijgend en met kloppend hart spande ze zich in om bij te blijven. De jonge benen voor haar ogen schreden moeiteloos, ze dansten haast tegen de steilten op. Louisa kon ten slotte niet meer. Haar zwoegend hart schreeuwde om rust. Het was dwaas met de reeën te willen wedijveren. Els was het, die in de gaten kreeg hoe het met haar gesteld was. Ze stond tegen een berkestam geleund, drijfnat, duizelend, snakkend naar adem. Uit de onbereikbare hoogte naderde eerst Els, dan Ann. Uitblazen nu, het hart zijn gewoon ritme laten terugvinden. Neen, kinderen, er mankeert me niets. Het ging alleen wat te vlug voor mijn motor. Er zit sleet op, ik mag er niet teveel van vragen. Jullie zijn lief. Laten we het wat rustiger doen, zo tussen jullie in, een handje aan Ann, een handje aan Els.

De malaise ging over. Ze kon diep ademen en praten.

'Ik had het daar net echt benauwd. Op zulke momenten raakt je een kille vleugelslag. Je denkt: er is niet veel nodig om mij het hoekje om te helpen.'

'Niet overdrijven, mams' zei Els.

'Het leven is bedroevend kort. Men zou dat steeds voor ogen moeten houden!'

Ann keek haar aan. Haar hand drukte de hare zo hard dat het pijn deed. Ze wilde herinneren aan het gesprek op het terras van het zwembad. Ze drong aan, ze zou niet vlug de moed opgeven. Ze kon zich niet voorstellen wat ze van haar moeder vroeg. Vier jaar had Louisa geaarzeld eer ze eruit trok, ze had voor en tegen afgewogen, ze had geworsteld met eeuwenoude vooroordelen en met haar trots, die weigerde de mislukking aan de openbaarheid prijs te geven. En nu zou ze meteen het hoofd in de schoot moeten leggen. Jeugdige wispelturigheid, dacht ze, jeugdige labiliteit, of hoe je het ook noemen wilt. Op mijn leeftijd kleven de gesteltenissen aan de ribben. Maar goed, ze houden van me. Al zullen ze ook aan zichzelf denken. Bij Ann zal de financiële veiligheid een rol spelen. Ze zijn nuchterder dan op het eerste gezicht lijkt. En berekender. Dat ze me tot de scheiding aangezet heeft, is een dwaasheid die haar spijt. Als je het zo beschouwt offert ze mij op. Maar Els staat er achter, Els die belangeloos handelt, uit genegenheid, uit de ervaring van een groot verdriet. Laat me de tijd om met me zelf in het reine te komen. Dring niet aan op spoed. Al verlang ik er nog zo naar ze allen om mij heen te hebben, Ann, Geert en Treesje. Ze werken soms op mijn zenuwen, ze zijn verwarrend, grillig, soms ronduit hatelijk. Vooral Ann. Eigenlijk alleen Ann. Maar ik moet ze om mij heen hebben.

11

Ann had het op zich genomen het Frans van Els bij te werken. Els, van haar kant, zou Ann vlot konversatie-Engels bijbrengen. Ze zaten bij het raam, waartegen regendruppels pletsten. Een half uurtje Frans, daarna een half uurtje Engels, zo luidde de afspraak. Ze hadden uitgelaten pret. Wie niet wist zou gedacht hebben: die beiden zijn de meest zorgeloze mensenkinderen, die je je indenken kunt.

Die pret en die zorgeloosheid ergerden Louisa. Net alsof ze er zeker van zijn dat ze de slag reeds thuis gehaald hebben, overwoog ze. Alsof ik een lichtzinnnig schepsel was, dat zonder reden opgestapt is. En dat met een licht duwtje in de rug in het echtelijke huis en in het echtelijke bed terug te brengen is.

Stel, dacht ze verder, dat hij, toen ik er Ann ging halen, me gevraagd had te blijven. Hoe patetisch zijn ontreddering ook was, ik zou gekookt hebben, ik zou hem met koele haat in het wit van de ogen gekeken hebben.

'Hoe durf je' zou ik gezegd hebben 'hoe durf je na wat je Ann aangedaan hebt. Je maakt het al maar erger. En dan, de rouwmoedige zondaar uithangen! Alsof na dit toppunt de sadist in je gestorven was.'

Ze liep heen en weer in de kamer, verplaatste nutteloos een vaasje en een kannetje, herschikte lapjes op de buffetkast. Ze legde het er bewust op aan om de aandacht te trekken, een eind te stellen aan de pret, te laten zien hoe het in haar woelde. Ze voelde zich meteen potsierlijk. Moest ze zich bij die twee rechtvaardigen? Moest ze zich voor een taak van nog enkele jaren opofferen?

Ann merkte het eerst op dat er wat schortte.

'Werkt het slechte weer op je zenuwen, mams?'

Er lag ironie in haar stem en haar gezicht stond in guitige plooien. De pret met Els gaf ze niet meteen op omwille van haar moeders slechte luim.

Nu keek ook Els haar aan, de mond wat open, verbazing en ongerustheid in de blik.

'Is er wat?' vroeg ze.

'Ik geloof dat ik het nodig heb me wat te vertreden. Ik ga op mijn eentje op stap.'

'Wacht tot de regen ophoudt. Dan gaan we mee.'

'Neen. Gaan jullie maar door met de taaloefeningen. Ik wil de pret niet bederven.'

Stond die pret haar echt tegen? Was ze jaloers? Neen, dat was het niet. Maar een onoverwinnelijke behoefte om hun gemoedsrust een deuk te geven, had zich van haar meester gemaakt.

'In de regen lopen heeft zijn charme' zei ze terwijl ze haar regenmantel aantrok. 'Vooral als je alleen loopt.'

Waar was haar paraplu gebleven? Ze kon het zich niet herinneren. Ze bond zich een plastic kapje, dat ze in de zak van de mantel vond, om het hoofd. Onwennig onder de onthutste blikken, stond ze even te aarzelen. Maar ze draafde door, ze moest, hoe dan ook, de stemming kelderen.

'Ik moet me trouwens aan de eenzaamheid wennen.'

Met een ruk draaide ze zich om en liep de deur uit. Ze had er een wrang genoegen aan hen verbijsterd achter te laten.

Ze stapte driftig onder de stortbui. Ze had geen doel, ze zou zo maar lopen, straat in, straat uit. In plassen plensden haar sandalen. Autowielen joegen waaiers water op, telkens streek er wat van langs haar benen.

Aan de eenzaamheid wennen, had ze gezegd. Dat ze het goed in hun oren knoopten. Het proces zou voortgezet worden. Nog eenmaal moest ze in de raadkamer met hem gekonfronteerd worden. Daarna hoefde ze zich op de rechtbank niet meer te vertonen. De advokaat deed de rest: dagvaarden, verschijnen, konkluderen, getuigenverhoor aanvragen, opnieuw konkluderen, betekenen. Ze had de hele uitleg op een papiertje. Wie is er zo dwaas zich door eigenzinnige bakvisjes van zijn plannen te laten afbrengen?

Plannen die haar eigen leven betroffen, niet het hunne.

Zouden ze nu een nieuw offensief inzetten? Met hun beidjes konden ze nu vrij bekokstoven, de taallessen vergeten, een strategie uitwerken. De pret zou naar de bliksem zijn. Ze gunde het hun. Ze hoefden niet te denken dat er met haar te sollen viel.

Waarom twijfelen aan haar mogelijkheden om een zelfstandig leven te leiden? Ze had haar diploma, ze had een behoorlijk figuur. De moeder van Els had het gezegd. Dat toch mocht ze van die vreemde vrouw onthouden. Onthouden wat haar vleide. Het hoefde haar overigens niet gezegd te worden. Ze wist het. Soms ving ze op straat blikken van mannen op, die er niet om logen.

Ze liep in de richting van de villawijk, waar het grote huis stond. Zou ze die vier kilometer heen en die vier kilometer terug afleggen om naar een huis te kijken, waar ze niet binnen mocht? Of liever, waar ze niet binnen wilde. Non, rien de rien, non, je ne regrette rien. Ni le bien, qu'on m'a fait, ni le mal, tout ça m'est bien égal. Avec mes souvenirs, j'ai allumé le feu. Uit een openstaand venster klonk boven het gedruis van de regen, de schrille stem van Edith Piaf. Ze liep te neuriën. De schampere toon bekoorde haar. Dat was de houding, die ze moest aannemen: schamper, zelfverzekerd, de aanvechtingen van de jonge lui laten afketsen op vastberadenheid.

Het was misschien fout naar de wijk te lopen, waarmee ze sentimentele bindingen had. Ze stelde zich moedwillig aan verleidingen bloot. Maar neen, ze moest ertegen opgewassen zijn, ze moest zich stalen. Straks had ze immers weer te maken met de inpalmende verlangens van Ann en Els. Vooral van Els. Inpalmend, arglistig, geniepig, ondermijnend.

Daar was het huis, het hoge blinkende pannendak boven de lindeboompjes van de laan, de erker van de slaapkamer. Wend er de blikken van af, Louisa. Loop door. Het huis is afgeschreven. Alles is afgeschreven. Avec mes souvenirs, j'ai allumé le feu.

Daar was het huis van Jef Mommens, de moedige weduwnaar van een even moedige vrouw. Ik heb nog niet gekondoleerd. Zou ik aanbellen?

Het poortje van de garageoprit was dicht. Dat kon erop wijzen dat de man niet weggereden was. Ze beklom de treden die naar de deur leidden. Haar make-up was door de regen naar de bliksem en klissen nat haar piepten van onder het plastic kapje uit. Onder de luifel deed ze het kapje af, streek de doorweekte haren wat effen, en belde aan. Als ze het erop aan had willen leggen bij de man een goed figuur te slaan, had ze zich niet moeten aanmelden na bijna een uur door de regen gezworven te hebben. Maar de man was sportief, misschien zou hij de stunt waarderen.

De deur kierde open. Een vrouw met een schort voor stond haar vragend aan te kijken.

'Is meneer thuis' vroeg ze.

'Meneer wenst geen bezoek' antwoordde de vrouw.

'Ook niet van een buurvrouw, die pas het droevige nieuws vernam en die zou willen kondoleren?'

'Ik zal het vragen.'

De loper was opgerold en de gang lag onder zeeploog. Het vrouwtje liep er op blote voeten pletsend over. Het duurde een poos eer ze terug was.

Ze werd in de woonkamer toegelaten. Meneer zou er dadelijk zijn.

Een huis van een man alleen, dacht ze, is een huis zonder ziel. Het regenweer maakte de verlaten kamer extra triestig. Een muurrozelaar bezijden het grote raam liet zijn bloemen topzwaar neerhangen, het gazon was in weken niet gemaaid en de lange halmen lagen plat gedrukt. Stoelen en fauteuils waren lukraak neergezet. Het tafelblad was grijs onder een laag stof.

De man verscheen in een flodderbroek en een met verfspatten overdekt kakihemd. Een baard van drie dagen legde een rosse schijn over zijn wangen. Met uitgestoken hand trad hij op haar toe. Zijn blik was zijn levendigheid niet kwijt.

'Exkuseer mijn slordige kledij. Ik ben bezig met wat schilderwerk boven. Zo gaat de tijd voorbij, en worden de gedachten afgeleid.'

'Zou u niet beter op reis gaan' zei ze.

'We hebben niets besproken voor deze vakantie. We wisten immers wat ons te wachten stond. En nu het afgelopen is, heb ik nergens zin in.'

'Ik vernam het een paar dagen geleden. Ik mocht niet nalaten u mijn medevoelen te betuigen.'

'Dank u. Gaat u zitten, en trek die natte jas uit. Hang hem op een stoel.'

Ze deed wat haar gevraagd was. Over haar zongebruinde armen voelde ze zijn blik glijden.

'Het lot is onrechtvaardig' zei ze. 'Bij ons is het een hel geweest, en ik leef en ben gezond. Bij u liep alles naar wens, en uw goede vrouw moest verdwijnen.'

Hij schonk port voor beiden in. Uit een kristallen karaf klokte het donkere vocht. Hij leek een poos in gedachten verslonden en goot door als zijn glas reeds vol was. Een klad kleurde een kanten onderleggertje. Met een vieze zakdoek wreef hij wat over het tafelblad.

'Wat valt er daarop te zeggen' zei hij. 'U hebt nog jonge kinderen. U bent er nodig.'

Dan waren ze allebei een poos uitgepraat. Ze nipte van haar glas. Zijn blik volgde haar bewegingen. Even keken zijn heldere ogen haar strak aan. Zijn gezicht bleef daarbij uitdrukkingsloos als keek hij zonder te zien. Dan streek hij over zijn wilde haren en schudde het hoofd.

'We moeten verder leven en er wat van trachten te maken, u zowel als ik. Ik vertel gemeenplaatsen, maar het zijn situaties die zich overal op de wereld dagelijks voordoen, en wat er kan gezegd worden is al miljoenen keren gezegd.'

Na een poos stilzwijgen zei hij:

'Uw man en uw kinderen zijn hier geweest toen het pas gebeurd was.'

'Ik weet het.'

'Van uw man heb ik vernomen dat u op scheiden staat. Ik wist niet dat het bij jullie zo verkeerd liep.'

'Ik verkropte. Ik verborg het zoveel mogelijk.'

Weer stilzwijgen. De regen had opgehouden. Haast verblindend zonnelicht viel plots op het vloerkleed en op hun voeten.

'Na regen komt zonneschijn' zei ze om de stilte te onderbreken. Gegeneerd voegde ze er onmiddellijk aan toe:

'Exkuseer, ik vertel op mijn beurt gemeenplaatsen.'

Een schril nerveus lachje van haar deed hem bevreemd opkijken. Ze haastte zich om de onaangename indruk weg te praten.

'U hebt veel vrienden. U zult geen last hebben van eenzaamheid.'

'Wat betekenen vrienden' antwoordde hij. 'Meestal zijn het zakenrelaties of klubgezellen, die faciliteiten van de bank verlangen. Ik zag dat zo niet voor ik mijn vrouw verloor. Nu is het alsof ik in een toestand van verblinding heb geleefd.'

'Ik heb lang geen vriendinnen gehad' zei ze. 'Ik weet niet waaraan het te wijten is. Misschien werd ik door mijn man zozeer vernederd dat ik me zelf niet interessant meer vond voor de anderen. Ik heb een jarenlange aftakeling doorgemaakt. Ik kom het heel langzaam te boven. Ik heb voor het eerst echt een vriendin, een Hollands meisje dat mijn dochter had kunnen zijn, en dat net als ik helemaal alleen op vakantie was in Kreta. Maar wat heb ik u me mijn problemen lastig te vallen. Ik kom zogezegd kondoleren.'

'U hoeft zich niet te exkuseren. Ik kan u zeggen dat mijn vrouw met u te doen had. Ze was heel scherpzinnig. Ze zag dat u niet gelukkig was.'

'Hoe kan dat? Ik heb geen tien keer met haar gepraat.'

'Ze was heel scherpzinnig. En begaan met wat de mensen uit haar omgeving overkwam.'

'U had een fijne vrouw. U hebt herinneringen aan een gelukkig huwelijk.'

'U hebt uw kinderen.'

Ze boomden nog een tijdje door over elkaars situatie, elk op zijn beurt in het licht zettend wat het relatieve voordeel was van de situatie van de andere.

Dan zei ze.

'U kunt hertrouwen. Niets houdt u tegen. Een man die alleen komt te staan is er beter aan toe dan een vrouw.'

Hij was het daarmee niet eens. Een man met een veeleisend beroep is een sukkel als hij voor schoonmaak, was, kledij, aankopen enz. moet instaan. Hij kan het zo bar krijgen dat hij hals over kop gaat trouwen om van de rompslomp verlost te zijn.

'U bent er de man niet naar' zei ze 'om met een banale vrouw scheep te gaan. Neem rustig uw tijd. U bent nog lang niet oud.'

Er kwam een schalkse glimlach over zijn gezicht.

'Ik zal aan u denken' zei hij, 'aan uw goede raad, bedoel ik.'

Ze voelde zich rood aanlopen en stond op.

'Ik moet weg. Ik moet voor het middageten zorgen van mijn dochter en van het Hollandse meisje dat nog een poos bij mij logeert.'

Schutterig greep ze haar regenmantel en liep naar de deur. Had ze zich dwaas aangesteld? Nam hij haar in het ootje?

'Bent u te voet? Wil ik u met de auto brengen? Er is weer een bui op komst.'

Hij riep het haar achterna, terwijl ze reeds over het tuinpad liep. Ze keerde zich om en toonde een argeloos gezicht.

'Dank u. Ik heb geen schrik van wat regen.'

Een sportieve lang niet uitgetelde vrouw ben ik, bankdirekteur Mommens. U mag gerust aan mij denken. Zelfs mag je die spottende toon aannemen. Hij krenkt me niet. Ik ben aan erger gewend.

Ze liep opnieuw voorbij het huis, waar ze niet binnen wilde. Ze had een andere weg kunnen nemen. Ze konstateerde verward dat ze erdoor aangezogen was. Ze vertraagde haar pas. Zou Geert of zou Treesje niet ergens door een venster kijken? Er was geen kans. Ze vertoefden haast nooit in de vertrekken die op de straat uitkeken. Hun domein lag langs achteren, in de vroegere speelkamer, die knutselkamer en studiekamer geworden was, of in de woonkamer met de te grote luchter en de zware lederen fauteuils. 's Zomers werden die fauteuils met was ingestreken en geboend. Dan geurde het hele huis. Het gaf het prettige gevoel in een verzorgd interieur te leven. Het gevoel ook naar behoren een plicht volbracht te hebben. Dit jaar was het niet gebeurd. Ze voelde een vage wroeging. Vreemd hoe je aan levenloze dingen kunt hechten. En in de badkamer zorgde ze ervoor dat het steentje désodorant op tijd en stond vervangen werd. Daar hoorde een frisse lucht te hangen, waarin het gereinigde lichaam zich lekker voelde. Jaren lang had ze goede zorgen besteed aan het huis, waar ze een vreemde geworden was. Begrijpelijk dat ze er moeilijk van los kwam, hoewel de zorgen niet gewaardeerd werden, noch door hem, noch door de kinderen. Je zit vast aan een verleden, waar je van weg wilt.

Had ze zich bij Mommens potsierlijk aangesteld? Wat bedoelde hij met de woorden: ik zal aan u denken? Spotternij? Of zag hij echt iets in haar? Zijn vrouw had met haar te doen gehad, zei hij. Misschien had ook hij met haar te doen gehad. Anders zou de opmerking van zijn vrouw hem niet bijgebleven zijn. En had hij niet voorgesteld haar met zijn auto naar haar flat te rijden? Zo iets doet men niet uit spotlust. IJle bespiegelingen. Ze moest beslist op haar tellen passen.

Het begon opnieuw te regenen. Een fikse bui joeg de zware druppels haar haast horizontaal tegemoet. Niet gaan schuilen hoewel een wachthokje bij een bushalte ertoe uitnodigde. Het imago hoog houden van de sportieve vrouw, die nog niet uitgeteld is. Spijtig dat Mommens haar niet kon gade slaan terwijl ze kaarsrecht en vastberaden tegen regen en wind optornde.

Ze had het huis Mommens voor ogen. Geen wonder dat het er rommelig was. Een sinds jaren zieke vrouw en een man die haast nooit thuis was. De man had toewijding nodig. Zijn vrouw had hem die niet kunnen geven. Het gevecht tegen de onverbiddelijke kwaal had haar volledig opgeëist. Vooral daar ze er niets wilde van laten merken. Waarom de façade van een wolkenloos geluk ophouden, terwijl je langs binnen aangevreten wordt? In de vage hoop dat de uitwendige schijn van geluk het onverbiddelijke zal doen vergeten? Of dat het vertoon naar binnen zal werken en dat je, als iedereen je gelukkig acht, het gevoel zult hebben inderdaad gelukkig te zijn? Wat is geluk anders dan een broze konstruktie, een kaartenhuis, dat je optrekt met de materialen die het leven aanreikt? Er zit een stuk welvaart in, een stuk gezondheid, een stuk vriendschap, soms een stuk liefde. Misschien is liefde de hoeksteen. Maar wat is liefde? Gedrevenheid naar de andere of bekommernis om de andere? Hoe groot moet het part gedrevenheid zijn? Hoe groot het part bekommernis? En wat als er dode momenten komen, als de gevoelens uit je weggevloeid zijn en je door het huis loopt als en goed bewaarde mummie, uiterlijk nog gaaf, maar van binnen zwarte leegte?

Leven met Jef Mommens. Mijn kinderen worden ook zijn kinderen. Zijn vrouw kon er hem geen geven. Ik schenk er hem meteen drie. Geen reden tot vrees om wat er van hen geworden zal. Ik heb ze op mijn hand. Zelfs met Ann heb ik het geklaard. Een nieuwe konstruktie. Een nieuw kaartenhuisje. Wat voel ik voor Jef Mommens? Ik heb met het verleden gebroken, ik ben niet uitgeteld, ik heb recht op een nieuw avontuur, wat ze er ook mogen van denken, Ann en Els.

Driftig stappend zweepte ze haar hartstocht op. De waarschuwing, die in haar achterhoofd nestelde, dat ze een illusie najoeg, liet ze niet aan bod komen. Ze voelde zich boos worden op Els en Ann, die haar weer onder het juk wilden brengen. Dat was het juiste woord: weer onder het juk, waarvan ze zich met zoveel moeite had vrij gemaakt. Ze zou het hun onomwonden aan het verstand brengen: geen sprake van, meisjes. En kom asjeblief niet opnieuw pramen. Of jullie hebben bij mij afgedaan.

Ze luisterde aan de deur van het appartement eer ze de sleutel in het slot stak. Geen stemmen, geen gelach. De stilte was verontrustend. In haar druipende regenmantel liep ze naar de woonkamer. Els zat er in een fauteuil, alleen, een boek op de knieën.

'Waar is Ann?'

'Ze zal er dadelijk zijn' antwoordde Els op een toon die geforceerd onverschillig was.

'Je hebt haar alleen laten weggaan?'

'We zijn samen vertrokken om een boek te kopen. Maar iemand heeft haar aangesproken. Ze hadden iets te overleggen. Ann gaf me de sleutel en ik ben naar hier gekomen.'

'Wie is die iemand?'

'Dat weet ik niet. Het is haar zaak. Ze is geen kind meer.'

'Hoe zag die iemand er uit?'

'Nou, een heer op jaren, misschien vijftig, misschien meer. Het ging over een job.'

'Hoe zag hij er uit? Ik bedoel: deftig, betrouwbaar?'

'Dat kan ik niet uitmaken. Hij was keurig gekleed, een bleek pak, een sjaaltje in het openstaand hemd, een regenjas op de arm.'

'En gepommadeerd, haren geverfd, gepoederd!'

'Zo nauwkeurig heb ik de man niet opgenomen. Waarom bent u zo ongerust?'

'Dat zou je moeten begrijpen. Ik weet welke milieu's mijn dochter aandeed. Ze moesten overleggen, zeg je. Waar heeft dat overleg plaats?

'In een café. Ze zijn er samen binnen geweest.'

'Welk café?'

'Hemelse deugd, daar heb ik geen acht op geslagen. Heeft het belang?'

'Ik ga ze dadelijk halen. Jij gaat mee om me het café aan te wijzen. Ik hoop dat je dat kunt.'

Ze sprak op bevelende haast norse toon. Els was erdoor in verlegenheid gebracht. Ze liep naast haar met de ontsierende frons op haar voorhoofd, de lippen tuitend, heel en al ongenoegen. Misschien voelde ze zich medeplichtig aan iets wat Ann misdreven had, misschien schaamde ze zich. Misschien voelde ze zich te hardhandig aangepakt. Misschien had Louisa rekening moeten houden met de solidariteit, die tussen haar en Ann in die paar dagen tot stand gekomen was. Misschien had ze met een omhaal van argumenten moeten duidelijk maken dat ze Ann haar gangen niet kon laten gaan. God, bevrijd haar van het verlammend gepieker. Laat er haar met vuile voeten doorgaan.

Het was een fatsoenlijk café, dat Els aanwees.

'Ga mee binnen' zei ze tegen Els. 'Met jou erbij sta ik sterker, dat weet je ondertussen toch. En ik kom minder voor als een bedilzuchtige ouderwetse moeder. We voegen ons gewoon bij hen en trachten uit te maken wat de kerel in het schild voert. Ik hoop dat je begrijpt dat het me niet onverschillig mag laten. Begrijp je mij?'

Het was weer de oude Els, de trouwhartige blik, de ietwat verlegen glimlach.

'Goed, we zijn weer vrienden. Ik verwachtte van je niets anders. Ik doe dit niet om te pesten of om dwars te zijn.'

Ann stond op toen ze naderden. Ze was rood aangelopen. De man die tegenover haar zat, keek naar hen op met een vorsende blik. Hij was ongeveer zoals ze zich voorgesteld had, fattig, grijzend haar laag in de nek, een gitzwart opkrullend snorretje, gitzwarte wenkbrauwen, ringen aan de vingers van allebei de handen.

'Port voor mij en voor Els' zei ze tegen de kelner, die een stoel voor haar bijschoof. 'Drinken jullie nog wat?'

Ze dankten.

'Het viel me te binnen' vervolgde ze, 'dat ik nog proviand moest halen. Els was zo vriendelijk me te vergezellen. Van haar weet ik dat je hier bent, Ann. Ik ben de moeder van Ann. Ik kan me niet herinneren dat ik meneer eerder ontmoet heb.'

'Dat zal niet, mevrouw. Ann heb ik op een feestje leren kennen. Ik zocht toevallig iemand voor mijn zaak toen ik haar haast tegen het lijf liep. Dat is nou precies het geschikte figuurtje, zei ik bij me zelf, slank, elegant, zich natuurlijk en vlot bewegend, hoegenaamd niet aanstellerig. Hopen maar, dat ze aanvaardt. Ze heeft nog niet toegezegd.'

'Wat hebt u met haar voor?'

'Wat zou ik anders met haar voor kunnen hebben dan datgene wat haar het aangenaamst is, en wat in haar natuur ligt: zich laten bewonderen. Schoonheid mag niet opgeborgen blijven in een plek waar ze niet kan opgemerkt worden. Schoonheid is er voor de vreugde van velen. Schoonheid moet stralen.'

Louisa kreeg het op de zenuwen.

'Genoeg literatuur, meneer. Wees asjeblief konkreet.'

'Ik ben adjunkt-direkteur van een befaamd Parijs' modehuis. Jammer genoeg heb ik geen prospectus bij. Ik had niet op die ontmoeting gerekend. Dit is fout. Ik zou nooit op stap mogen gaan zonder dokumentatie.'

'Ter zake, alsjeblief.'

'Wat bent u zenuwachtig, mevrouw. U laat me niet eens toe me voor te stellen.'

'U had kunnen beginnen met uw naam en uw adres te laten kennen.'

'Nou Ann, van je moeder mag alvast gezegd worden dat ze bij de pinken is. Ik ben Durant, Philemon Durant, en ik heb twee adressen, een in Brussel en een in Parijs. Hier hebt u mijn kaartje. De twee adressen staan erop. Tevreden? We zijn op zoek naar frisse jonge mannequins om onze kollektie voor te stellen. De professionelen, die we tot nog toe aanwierven, doen het niet meer bij het publiek. Op die broodmagere gevallen met hun krampachtige glimlach zijn de mensen uitgekeken. Meisjes als uw Ann zullen een nieuw geluid in de salons brengen. Een nieuwe lente en een nieuw geluid. We hebben haar anderhalve maand nodig. Van Parijs gaat het naar Milaan en Rome, en van daar misschien naar Madrid.'

'Of naar een striptease-bar. Of naar een Oosterse harem.'

'U beledigt me, mevrouw. Ik ben een ernstig man.'

'Dat staat zeker niet op uw gezicht te lezen.'

'Als ik niet wist dat Ann het heel graag zou doen, en ik haar het genoegen gun, zou ik me zonder verdere diskussie terugtrekken. Maar ze is erop gebrand. Haar ogen straalden als ze hoorde waarvoor ze uitverkoren werd. Ik zeg wel: uitverkoren. Uitverkoren uit de tallozen die de kans met allebei hun handen zouden aangrijpen.'

'Hebt u eraan gedacht dat Ann minderjarig is en dat ze toestemmingen nodig heeft?'

'Waarover praten we anders?'

'Ann, ik hoop dat je er niet aan denkt. Van je vader en van mij krijg je nooit de toestemming. Voor het geval je dat zou spijten raad ik je aan in Brussel te informeren naar de reputatie van die mooie meneer.'

Voor het eerst sedert het begin van het gesprek keek Ann haar strak in de ogen. Een ondeugende tinteling in haar blik gaf te kennen dat het geval haar amuseerde.

'Je weet nog niet alles, mams. Meneer wil ook geld hebben.'

De man viel haar haastig in de rede.

'Een kleinigheid voor de eerste hotelkosten en voor de lessen die ze in Parijs de eerste week zal krijgen van een beroepskracht. Vijftigduizend vraag ik. Over een maand heeft ze het vijfvoudige gewonnen.'

'Meneer is dus oplichter. Ik had het meteen moeten doorhebben. We weten genoeg. Kom, kinderen.'

Ze wenkte de kelner, betaalde, en stapte beslist naar buiten. De meisjes volgden haar op de voet.

Er werd geen woord gesproken onderweg. Ze beefde van opwinding. Een gevaar had ze bezworen. Andere gevaren konden zich aanmelden waar ze er het minst op bedacht was. Er liepen scheuren door haar gemoed. Met hijgende haast spoedde ze zich weg van de man, als zou ze zich eerst veilig voelen wanneer er een deur achter haar in het slot gevallen was.

Ze zorgde voor het middageten terwijl de meisjes de tafel dekten. Ze was er met haar gedachten niet bij. Ze had geen gedachten. Een paar uur geleden het triomfantelijke 'rien de rien, non, je ne regrette rien'. En nu de zwarte woeling.

Ze kon amper wat door de keel krijgen.

'Kinderen' zei ze. 'het dwaze geval heeft me meer geraakt dan jullie zich kunnen voorstellen. Eten jullie rustig voort. Ik trek me terug.'

Ze ging aangekleed op haar bed liggen. Het bonken van haar hart wilde niet bedaren. Ik kan me nergens boven zetten, dacht ze. Ik benijd de moeder van Els. Er is niets gebeurd dat het onthouden waard is. En ik ben kapot. Mijn hart gaat waanzinnig tekeer. Dat het kon barsten. Geen zorgen meer, geen twijfels, niets meer te beslissen. Blindelings storten in het zwarte niets.

Ze bleef met gesloten ogen liggen toen de kamerdeur met een licht gepiep openging en blote voeten over het linoleum schoven. Ze opende de ogen niet als een druk op het bed haar lichtjes naar rechts deed hellen. Een gelijke druk aan de andere kant herstelde haast onmiddellijk het evenwicht. Ze waren dus bij haar komen liggen, Ann rechts, Els links. Dat Ann rechts lag maakte ze op uit de afwezigheid van schroom, waarmee ze zich tegen haar aanvlijde. Els bleef op een afstand. De drie ademhalingen gingen gelijkmatig in een rustig ritme. Het was een kalmerende gewaarwording. Haar hart was meteen tot bedaren gekomen. Ze voelde haar gezicht in een glimlach ontspannen. Nog steeds de ogen gelo-ken houdend strekte ze haar armen uit. Haar tastende handen vonden de weg onder de halzen door.

'Ann' zei ze, 'zul je eerlijk antwoorden op mijn vraag?'

'Waarom zou ik niet eerlijk antwoorden?'

'Omdat eerlijkheid soms moeilijk is.'

Ze hield de meisjes tegen zich aangedrukt. De drukking aan haar rechterkant was heviger. De lichte beving van haar rechterhand kon angst verraden.

'Ann, als die meneer met zijn voorstellen voor de dag kwam, was je erdoor geboeid? Had je zin om erop in te gaan?'

'Ik was nieuwsgierig. Dat moet je begrijpen. Ik wilde er meer over horen. Hij was nog niet uitgepraat toen je het café binnenviel.'

'Nieuwsgierig, dat neem ik aan. Maar je hebt op mijn vraag niet geantwoord. Had je zin om erop in te gaan?'

Nutteloze vraag, dacht ze dadelijk. Ik weet immers dat het haar lokte. Waarom haar tot een bekentenis brengen die haar kost? Waarom haar die vernedering opleggen? Beter waren we blijven zwijgen. Dat ze naast mij kwam liggen, wetend wat er me van streek had gebracht, moest me gerust stellen. Het was een zwijgende bekentenis, een zwijgende verzekering dat ze begreep. Het is een poos bijna zalig geweest. Ik heb het verknoeid.

'Antwoord niet, Ann' fluisterde ze terwijl haar hand over het haar van het meisje streek. 'Het is niet nodig. Ik voel dat je ingezien hebt. Dat volstaat.'

Er ging een schok door Ann's lichaam als viel er een spanning van haar af.

'Neen, mams, ik wil eerlijk zijn zoals je gevraagd hebt. Ik had zin om erop in te gaan. Ik dacht: anderhalve maand is vlug voorbij. Ik kan nadien nog naar de universiteit. Wat ik aan colleges gemist heb, is vlug bijgewerkt. Het was dwaas. Die man is niet te betrouwen.'

'Je dacht er niet aan dat je vader en ik akkoord moesten gaan?'

'Ik was daar nog niet aan toe.'

En ik, dacht Louisa, ik zag me reeds als echtgenote van onze buurman Mommens. Zou ik mijn eigen dwaasheden even gemakkelijk bekennen?

Het was zelfbegoocheling geweest, een koortsig gekoesterde illusie, meteen in de grond geboord. Niets kan opnieuw beginnen. Je bent de veertig voorbij, je hebt een leven achter de rug, in je vlees zijn merktekens gebrand. Je kunt nog allerlei wensen, maar ook als die wensen kompleet in vervulling gaan zal honger blijven kwellen. Je verlangt het andere en van het oude raak je niet los. Het tweetal dat naast je ligt, bindt je aan het oude. Het is je toegewijd, dit tweetal, maar die toewijding is een antwoord op je eigen toewijding. Het is een geven en ontvangen. Als je niet geeft heb je niets te verwachten. En je zou de toewijding van dit tweetal niet willen missen. Het is warmte, wellust en pijn tegelijk, misschien het enige echte geluk, broos geluk, telkens opnieuw bedreigd, geluk dat je geduldig beschutten moet, andere mogelijkheden verzakend. Ann is mijn dochter. Net als ik verlangt ze van de gewone sleur weg te raken. Het helemaal andere lokt haar. Alsof het na korte tijd niet eveneens sleur wordt. Een ononderbroken nooit afnemend geluksgevoel is onbestaanbaar. We moeten genoegen nemen met wat zich aandient. Voor het ogenblik is het de warme genegenheid van die beiden. Ze hoeven niets te zeggen, niets te doen, ze moeten er enkel zijn, tegen mij aangevlijd. We zweven samen. Een geluksgevoel draagt ons. We zijn voor een poos aan de zwaartekracht ontheven. Straks dalen we weer neer.

12

Louisa was alleen in haar flat en keek zonder te lezen in de krant.

Het was een woelige dag geweest. Zonder vooraf om akkoord te vragen waren Geert en Treesje bij haar binnen gevallen. Het was er meteen vol leven en vol lawaai. In een half uur was de hele voorraad fruitsap eraan gegaan. Op voorstel van Els had ze het gezelschap naar Kluisbergen gevoerd. Het was zaterdag en in het zwembad was het een drukte van belang. De jonge lui stoorden er zich niet aan. Ze vermaakten zich kostelijk, al was er van echt zwemmen geen spraak. Ze stoeiden als uitgelaten bengels, gingen elkaar voor de pret te lijf, stieten elkaar omver, sleurden elkaar onder water om proestend weer op te duiken. Treesje ontsnapte spoedig aan de wildebrassen en kwam rillerig bij haar op een bank zitten. Ze legde een handdoek op de schouders van het kind en haalde haar tegen zich aan. Roerloos bleef ze tegen haar aan gevlijd, misschien een kwartier lang. De vraag had haar gekweld: wat denkt en voelt zo'n kind van twaalf? Rondom spetterde uitbundige pret, en het trok haar niet aan, ze vluchtte ervan weg. Ze had de woorden moeten vinden om het kind uit zijn tent te lokken. Ze kende die woorden niet, ze was ze vergeten. Ze had zich niet genoeg aan het kind gelegen gelaten, ze was de voeling kwijt. Ze zaten daar, woordenloos en hulpeloos, en zalig geïsoleerd te midden van de drukte.

Ze dacht eraan terug, nu ze alleen was. Geert en Treesje had ze naar het huis gevoerd en Ann en Els waren gaan dansen. Een deftige gelegenheid, had Ann verzekerd. Het was afgesproken dat zij hen om elf uur zou afhalen. Zo kon ze er zich van vergewissen dat er niets verkeerds gebeurde.

Het was negen uur twintig. Nog anderhalf uur alleen, met het licht van de lamp op de ongelezen krant en op haar handen. Treesje had ze veronachtzaamd. Het kind was nog zo jong. Haar leven speelde zich af tussen school en huis. Naar wat daarbuiten lag gingen nog geen verlangens uit, zo dacht ze. Ann was het probleem, en hij. En zij zelf. Zo had ze gedacht. Maar Treesje lag rillerig tegen haar aan, daar in het zwembad, een wereld van verdriet, waarvoor ze geen oog had gehad.

Ze zag zichzelf op die leeftijd, of een paar jaar ouder, in de onbedreigde beslotenheid van haar familie. Zichzelf en enkele medeleerlingen op school. En ze zag de godsdienstleraar, een jonge priester met een diepe blik, die ook de geestelijke leidsman van de zusters was. En die soms, vooral als de proefwerken achter de rug waren, de les opvatte als een ongedwongen konversatie onder gelijken. Hij wist dat vrijen en liefde het onderwerp was dat de harten sneller deed kloppen. Het was in de andere lessen taboe, maar hij schuwde het niet, hij had een brutale manier om het onverwacht op tafel te gooien, en een schok teweeg te brengen, die bij de schare bakvisjes het bloed naar de wangen joeg.

'Wat is belangrijker: bemind te worden of te beminnen?'

Het werd in stemmen gelegd. Allen op één na, hielden bemind te worden voor het belangrijkste. Ze hadden argumenten: als je voelt dat je echt bemind wordt, kun je niet onverschillig blijven. Vanzelf zul je ook gaan beminnen.

Enkel Suzan Leppe dacht er anders over. Beminnen was voor haar oneindig belangrijker. Haar ogen puilden uit, toen ze het zei, en haar lippen stonden gespannen.

Nu was die Suzan het onaantrekkelijkste wicht van de hele klas: een flets pokdalig gezicht dat nooit de zon scheen gezien te hebben, glansloos strak naar achteren getrokken haar, een stompneus, en altijd onverzorgd, nooit fris in de kleren.

Er kwam een tweede vraag.

'Stel dat je verwaarloosd wordt, dat je man het met een andere aanlegt, of dat hij je vernedert en beledigt terwijl je in gezelschap van vrienden bent, zou je dan doorgaan met hem te beminnen?'

Weer was Suzan alleen om ja te zeggen.

De leraar prees Suzan. Haar houding lag in de lijn van het evangelie. 'Bemint uw vijanden' had Christus gezegd, en toen hij aan het kruis hing, had hij voor zijn vijanden gebeden. 'Vader, vergeef het hun, want ze weten niet wat ze doen.' De ontrouwe man is geen vijand. Hij is een vriend, die het leven met je heeft willen delen, en die nu afgedwaald is. Redenen te over om door te gaan met hem te beminnen, uit al de kracht van je ziel te beminnen. De vrome uitweiding boeide niet. De gedachten bleven bij Suzan hangen. Als ze ooit een man vindt, had Louisa bedacht, zal ze veel moeten verdragen. Maar ze zal er geen vinden, ze heeft makkelijk praten. Al de neen-zeggers dachten hetzelfde. Ze deden hun best om het niet uit te proesten. Suzan, de ontwapenend naïeve, de potsierlijke met wie niemand in haar bijzijn zou spotten omdat ze iets innemends had en altijd bereid was om te helpen, wat was er van haar geworden? En Greta Soenens en Mireille Verleie? Die anderen zouden hun weg gevonden hebben, voor hen hoefde ze niet bezorgd te zijn, maar Suzan Leppe ging haar nu plots ter harte. Omdat ze zo broos was, zo onaantrekkelijk, zo geschikt om met zich te laten sollen, zo kwetsbaar. Kwetsbaar als Treesje die middag was, kwetsbaar als Els was de eerste dagen in Elounda.

Ze stond op. Het was al te gek zich nu om de spoorloze Suzan Leppe te gaan bekommeren. Ze had genoeg aan het hoofd. Ze zou een half uur vroeger dan afgesproken in de dancing arriveren. Ze zou het zo aan boord leggen dat Ann en Els niet moesten denken dat ze kwam spioneren. Een tafeltje in een hoek, en geen blik in hun richting, zo nam ze zich voor.

Het speet haar dadelijk. In de donkere zaal, waar veelkleurige stralen flitsend wentelden, was het lawaai oorverdovend. Uit de vier hoeken en van vooraan, waar de disc-jockey als een bezetene stond te trappelen, brulden luidsprekers. Ze was op het punt weer te vertrekken en in de auto op de meisjes te wachten, als een kelner haar bij de arm nam en haar naar een vrije plaats loodste. Ze bestelde het eerste het beste wat hij aanbeval, ging achterover leunen en sloot de ogen. Wat hebben ze eraan, vroeg ze zich af. Geen mieter romantiek in dit wilde gedoe. Ze zwieren naar elkaar toe en van elkaar weg, raken elkaar amper aan. Ze hebben geen voeling, ze kunnen het net zo goed met poppen doen. In mijn jonge jaren was het een verkennen van de randgebieden van het ongeoorloofde, een sexspel op geringe afstand. De gebaren van toen kennen ze niet meer, het geremde verlangen, het respekt, de sierlijkheid. Ze willen een vervoering waar geen sex mee gemoeid is, een vervoering voorbij de sex, een vervoering van Afrikaanse wilden. De remmingen zijn opgeheven. Ze slaan hele hoofdstukken van de roman over. Als de lust hen te pakken heeft gaan ze meteen naar bed. Daarom gaat het er op de dansvloer zo woest aan toe. Voorbij de sex. De sex hebben ze immers voor het grijpen.

Ann was de eerste die haar opmerkte. Ze zwaaide van op de dansvloer een vlugge groet zonder uit het ritme te raken, dat fors slagwerk aangaf. Haar gezicht bleef uitdrukkingsloos. De wentelende stralen gleden erover. Ze was beurtelings groen, rood, paars en blauw. Haar witte jurk fosforesceerde. Dank zij die jurk kon ze haar volgen midden in het gedrang.

Treurig makend schouwspel. Geen blijde gezichten, geen glimlachjes, geen pret. Ze praten niet. Het kan ook niet in het helse lawaai. Ze zijn niet lief, ze zijn automaten met houten gezichten. Ze zijn jong en heel oud, ze zijn aan alles voorbij. Het snokkende ritme skandeerde haar gedachten, Jong en heel oud, aan alles voorbij. Ze herhaalde de woorden bij zichzelf. Ze werden even zinledig als het gedoe in de zaal. Ze zou ze gaan zingen als ze niet op haar tellen moest passen. En ze moest zich in acht nemen, want een kaalhoofdig heerschap in een geruit overhemd had zich in haar buurt neergelaten en schoof met schokjes dichter en dichter. Ze draaide haar stoel wat zodat ze hem de rug toe keerde. Jong en heel oud. Aan alles voorbij.

In haar jeugd was dansen een feest. Tweemaal, hoogstens driemaal per jaar was er gelegenheid toe. En je kleedde je met zorg, je poederde je schouders, je probeerde voor de spiegel allerlei kapsels. Er klopt iets niet, dacht ze. Ze willen zich als Afrikaanse wilden uitleven, maar die wilden maken zelf hun zogezegde muziek. Deze jongelui hebben een boel gesofistikeerde apparatuur nodig. Ze zijn gedweeë slaven van de techniek, die ze menen te ontvluchten. Jong en heel oud. Aan alles voorbij.

God, kon ze weg raken. De dij van de kaalkop was erin geslaagd tegen haar dij te wrijven. Ze stond op, keek de man verstoord aan en plaatste haar stoel een meter verder. Ze dronk. Het was een vulgair prikkelwijntje, dat voor champagne moest doorgaan en dat beslist oprispingen zou bezorgen. Jong en heel oud. Aan alles voorbij. Een druk op een knop in het Kremlin, tientallen raketten schieten de lucht in, bliksemsnel duiken ze naar hun doel. Tientallen steden zijn hun doel, een ontzaglijke knal, de losbarsting van een vulkaan, een paddestoelwolk, veel ontzaglijke knallen, veel losbarstingen, veel paddestoelwolken, alles voorbij. Geen mens die zich nog wat van ons herinnert, de trekken van ons gezicht, onze verlangens, onze ontgoochelingen, onze narigheden, onze wrok, onze besluiteloosheid. Een jonge man boog naar haar. Achter hem stond Els. Hij nodigde haar ten dans en de glimlach van Els moedigde haar aan. Ze stond op, en ontdeed zich van het jasje dat ze boven haar jurk droeg. De jonge man greep haar vingertoppen. Rukjes aan haar vingertoppen zetten het snokkende ritme op haar over. Ze was opgenomen in het wilde gedoe, in het nihilistische feest. Dat was het, ze had de zin ontdekt, een nihilistisch feest. Aan niets denken, de spieren laten begaan, je hoeft ze geen bevelen te geven, dat doen de brullende luidsprekers, dat doet de disc-jockey, die onvermoeibaar met stampende voeten op het podium hamert, en meezingt, meebrult in een vervoering voorbij de sex, voorbij het leven, aan alles voorbij. Hoe ben jij hier verzeild, welgeschapen jonge man met je dunne lippen, je kort geknipte haar, het strikje onder je kin en het fosforescerende hemd dat aan je lichaam kleeft? Ja, zwier maar, wentel maar, ruk aan mijn armen, doe met mij wat je wilt, ik ben voor een minuut je pop. Het heeft geen zin, niets heeft zin, de wereld is een gekkenhuis, we hebben er een gekkenhuis van gemaakt. God schudt het hoofd en laat begaan. God heeft ons opgegeven. Hij zal het misschien elders proberen, in een planeet van een andere ster, in een andere galaxie. Ons heeft Hij opgegeven. Het is een geruststellende gedachte. We hebben geen verplichtingen meer. Alles is verloren.

De jonge man leidde haar terug naar haar plaats en verdween in het gedrang. Er was iets met haar gebeurd, ze wist niet wat, ze voelde zich op een onverklaarbare wijze bedot. Haar handtas was er nog, ze had hem onder haar jasje verborgen. Maar de armband van namaakgoud had ze niet meer om haar pols. Ze glimlachte. Het was zo goed als waardeloos spul. De bedrieger was bedrogen. Ann streek naast haar neer en vroeg of ze zich amuseerde.

'Neen,' zei ze. 'Weet je waarom ze een vrouw van mijn leeftijd inviteren? Om ze te bestelen. Ze hebben mij bestolen. Het is een niemendalletje, ik kocht het lang geleden op een fancy-fair voor een of ander goed werk. Het werd mij met grote vriendelijkheid ontstolen.'

Ze lachtte. God heeft ons opgegeven. God zal het elders proberen.

Ann keek haar ontsteld aan.

'Je bent moe', zei ze. 'We zouden best naar huis gaan. Ik zoek Els. Maar lach niet zo vreemd. Het geeft me een akelig gevoel.'

Ze kon zich niet bedwingen. Ze schokte van naargeestige pret.

In de auto werd ze rustig onder de bezorgde blikken van de twee meisjes. Ze startte met de handrem op, viel met een schok stil en was op het punt opnieuw hysterisch te gaan lachen.

'Er is niets met mij aan de hand, kinderen' zei ze. 'Ik had alleen wat malle gedachten terwijl ik daar zat in het helse lawaai. Hoe jullie het daar uren lang kunt uithouden begrijp ik niet.'

Ze antwoordden niet. Maar toen ze op haar flat loom en moe in de lage fauteuils lagen, en zij in de weer was voor het gebruikelijk geworden slaapmutsje, zei Els verlegen: 'Ik moet je wat zeggen, mams.'

Haar voorhoofd stond in een frons, die haar rond gezicht ontsierde. Ze bleef een poos nadenken. Het was de vrucht van grondige overpeinzingen, die ze zou meedelen.

'We lijken soms getikt in jullie ogen. Ik bedoel: in de ogen van de mensen van de vorige generatie. Jullie denken dat we nergens om bekommerd zijn en dat onze hersenen uitgeschakeld zijn. Soms hebben we het nodig ze uit te schakelen. Dan gaan we naar zo'n tent met veel lawaai. De jonge lui deden dat vroeger ook. Hun hersenen uitschakelen, bedoel ik. Op een andere manier dan. Mijn vader vertelde over de drinkgelagen in zijn studententijd, en over de ontgroeningsrituelen in de studentenklubs, die dikwijls wansmakelijk en baldadig waren. We zijn niet anders dan jullie vroeger waren, we hebben namelijk geen andere verlangens. Net als jullie verlangen we naar een stabiel huwelijk, naar een betrouwbare partner, naar voorspoed, naar kinderen... Maar dat schijnt ons allemaal zo problematisch, zo moeilijk te bereiken, zo onzeker.'

Ann had de hele tijd van de hortende monoloog gespannen naar Els zitten staren. Nu wierp ze het hoofd achterover, en bleef zo liggen met wijd open ogen naar het plafond kijkend. Nonchalant en helemaal niet keurig was haar houding, onderuit gezakt, de jurk opgeschoven tot halverwege de dijen, het roze broekje zichtbaar. Je kon denken dat ze woorden van Els gezwam vond, dat ze over zich heen liet gaan, zoals je in het leven heel wat over je heen moet laten gaan, terwijl je rustig aan eigen gedachten spint.

'Ann' zei Louisa, 'ik vind het niet leuk dat je daar zo lamlendig ligt. Ik begrijp dat je moe bent na die dolle lichaamsoefeningen. Mijn generatie is op een minimum fatsoen gesteld. Ik zou ook jouw stem willen horen. Voel jij het ook zo aan?'

Ann richtte zich verveeld op en nam het borrelglaasje aan.

'Over het stabiele huwelijk en zo. En over de onzekerheid van de toekomst?' vroeg ze argeloos.

'Ja, precies over die dingen.'

'Natuurlijk voel ik het ook zo aan. Waarom zou ik er anders over denken?'

Het antwoord kwam heel ongedwongen. De ogen drukten verbazing uit. Waar haalde haar moeder het dat ze iets anders op het oog zou hebben? En waarom ontroerden die simpele woorden haar moeder zozeer dat ze haar tranen niet bedwingen kon, en zich over haar boog voor een natte zoen op het voorhoofd, en daarna naar Els toe ging en haar langdurig tegen zich aangedrukt hield. Wat moest de Hollandse Els, die over alles zo rationeel praten kon, denken over dit emotionele gedoe?

Louisa bette haar ogen. Ze had in een flits het gemoed van haar dochter doorlicht gezien, en het was zoals ze gehoopt had, gekneusd maar onverdorven. Ze zou door het leven gaan als het Franse echtpaar dat ze in Elounda bewonderd had, de heel mooie vrouw en de man met het verminkte gezicht. Realiseer, kinderen, dacht ze, wat ik niet gekund heb.

Els begreep haar ontroering en zat kaarsrecht en haast eerbiedig met neergeslagen ogen. Ann deed pogingen om te begrijpen. Ze moest praten nu, zaken zeggen die hout sneden, die in het eigen vlees sneden. Want in de woorden van Els lag een verwijt, tegen haar eigen ouders, maar ook tegen haar, moeder van de vertwijfelde Ann, tegen de hele generatie die hen stuurloos op de wereld had geplaatst.

'Wij vrouwen, wij ouders' zei ze, 'hebben het niet altijd naar onze zin. Vroeger waren de mensen beter tegen de ontgoochelingen bestand. Ze hadden een sterkte, die wij niet meer hebben. Of die we veronachtzamen.'

'De religie?' vroeg Els.

Ze knikte.

'Maar het is te laat om daarop in te gaan. We zijn te moe.

'We kunnen het proberen' zei Els. 'Ik ben niet kerks opgevoed. Dat lag buiten onze belangstellingssfeer. Vader was niet tegen. Hij had een predikant te vriend, die af en toe kwam borrelen en schaken. Een nogal muffe man, vond ik, geen publiciteit voor zijn zaak. Moeder kon hem niet uitstaan, ik weet niet waarom. Ik was wel nieuwsgierig naar die dingen. Ik heb enkele godsdienstlessen gevolgd op school, maar het sprak me niet aan. Ik had nog geen leven gehad. Alles liep op wieltjes. De dood van mijn zus heeft me misschien veranderd. Mijn moeder zegt: er is meer in de wereld dan de fysika ons kan bijbrengen. Maar ze voegt erbij: we moeten er ons bij neerleggen dat we niet klaar zien. De taak, die we op ons genomen hebben, daarin moeten we geloven. En het onbegrijpelijke laten voor wat het is.'

Er volgde een lang stilzwijgen. Ze lagen languit, de ogen half dicht. Els was niet uitgepraat. Een gedachte hield haar bezig. Ze had nog geen vorm, het was eerder het aanvoelen van een gedachte in wording, waarvoor de woorden ontbraken. De spanning, waarmee ze naar die woorden zocht, was voelbaar.

Neen, dacht Louisa, God heeft de wereld nog niet opgegeven, zolang als je er meisjes als Els kunt ontmoeten.

'Ze is wel moedig, de houding van mijn moeder' zei Els, bedachtzaam. 'Alles naast zich neerleggen en zich volledig wijden aan een taak. Een taak die bovendien ondankbaar is en zelden tot resultaten leidt. Ze had het er soms over als ze erg vermoeid was, over het uitblijven van tastbare resultaten. Moedig is ze, mijn moeder, dat moet zeker van haar gezegd worden. Maar ook hard. Ik zou niet kunnen leven zoals zij. Zich inspannen en niet weten waarom.'

Leven zoals het Franse echtpaar dat we in Elounda onder het oog hadden, dacht Louisa. Teder voor mekaar en mooi, ondanks de afschuwelijke verminking van de man. Hun enige zoon verongelukte terwijl ze aanvallig door Kretenser tuinen schreden. En de schoonheid van de vrouw zal verwelken. Zij is ontroerend teder gebleven ondanks de afstotende verminking van hem en hij zal teder blijven ook als zij haar bekoorlijkheid kwijt is. Welk is hun geheim? Ik zal het nooit weten. Het is ontzettend spijtig dat ik het nooit zal weten.

'Dan vraag je je af' hoorde ze Els als in de verte zeggen 'of datgene wat zoveel eeuwen lang de mensen de kracht heeft gegeven om te doen wat moet gedaan worden, en om vol te houden, of dat niet ondanks alles waardevol is.'

Ann stond op en rekte zich.

'Ik ben te moe om jullie gefilosofeer te volgen. Ik ga naar bed.'

Louisa had last om de slaap te vinden. Woorden dreven op haar sluimer; zich wijden aan een taak, doen wat moet gedaan worden. God heeft de wereld niet opgegeven, Els is het bewijs, Els en misschien ook het Franse echtpaar van Elounda.

Ze zat in de kerk op de derde of vierde rij tussen haar vader en haar moeder. Door de ogiefvensters van het koor vielen schuine balken zonnelicht. Die ogiefvensters waren met lood in ruitjes onderverdeeld en daarin stak afwisselend geel en groen glas. Wanneer de zon scheen stond het altaar in een geelgroene schittering, waarin de kaarsevlammetjes oplosten. Moeder had kritiek op dat geel en groen. Ze vond het boers en nam het vader, die lid was van de kerkfabriek, kwalijk dat hij zijn invloed niet had aangewend om de kerk behoorlijke glasramen te bezorgen. Kleine ruzietjes tussen haar ouders, die ze als veertienjarige opmerkte. Zelf achtte ze die glasramen onbelangrijk. De parochiekerk was hoe dan ook een karakterloos gebouw. Er viel niet aan te dokteren. Andere zaken ergerden haar. De preken vooral, zo inspiratieloos, zo onbezield, zo stug dogmatisch, zo schraal vergeleken met wat de godsdienstleraar op school ervan maakte. En ze schaamde zich in de plaats van de priester op de preekstoel, en ze dacht aan de gestudeerden van de parochie, de dokters, de advokaten, de ingenieurs, die daar zaten en wier duldzaamheid ze bewonderde. Zou niet een van hen opstaan en in de algemene stilte de trappen van de preekstoel bestijgen en zeggen: genoeg gezwets over de tien geboden en de vijf geboden, genoeg geklungel met de boodschap van Jezus Christus, het mooiste wat er bestaat? Maar neen, ze ondergingen zonder een vin te verroeren. En dat deed twijfel rijzen aangaande hun bedoelingen. Dat ze de onbeduidende preken zo reaktieloos ondergingen kon betekenen dat ze aan het hele gedoe in de kerk geen belang hechtten en er enkel kwamen omdat dit van achtenswaardige burgers verwacht werd en ze erop stonden als achtenswaardige burgers bekend te staan. En met de jaren, sedert haar Leuvense studententijd vooral, werd de mis voor haar een lamlendige oervervelende vertoning. Wie kon nog geloof hechten aan zulke fabels voor primitieven als de transsubstantiatie tijdens de konsekratie? De sakrale woorden worden uitgesproken, hokus pokus, en die plakjes brood en die wijn worden herschapen in het lichaam en bloed van de zonderlinge Jood, die tweeduizend jaar geleden begraven werd. En wie, die zelfrespekt had, kon er nog toe bewogen worden zijn zogenaamde zonden en verboden begeerten te gaan bekennen achter de gordijntjes van een biechtstoel?

Dan kwam hij, die al jaren niet meer meedeed aan het gefemel. Was hij er minder rechtschapen om? Minder werkzaam? Minder in aanzien?

Maar iets van wat haar in haar jeugd was bijgebracht bleef in haar wezen geheid. Het lag in diepe lagen verzonken en het liet zich lange tijd niet gelden. Maar nu, na die omgang met Els, voelde zij de aanwezigheid ervan als een pijn, een spijt, een appèl misschien.

13

Bij het ontwaken zei Louisa: vandaag wordt de knoop doorgehakt. Haar lippen vormden de woorden en de betekenis ervan stond haar klaar voor de geest. Tijdens de slaap was de beslissing uit onnaspeurbare gemoedsbewegingen ontstaan en ze had zich van haar meester gemaakt. Ze was verbaasd. Niets immers van wat er de vorige dag voorgevallen was kon op het eerste gezicht een aanleiding ertoe zijn. Het was een dag als een ander geweest, misschien iets minder prettig dan ze het in het gezelschap van de twee meisjes gewend was geraakt. Het einde van de vakantie naderde en Ann liep er wat zenuwachtig bij. Ze dacht aan hogere studies en wist niet welke richting te kiezen. Net alsof ze niet kon beslissen zonder overleg met haar vader. Ze zei het niet met zoveel woorden, maar haar zinnen bleven onafgewerkt hangen, hetgeen de indruk wekte dat iets haar op de lippen lag, dat ze niet gezegd kon krijgen. En ook Els was bij alle lieftalligheid niet meer dezelfde. Ze bleef Louisa soms minutenlang aanstaren met op haar voorhoofd de frons die haar gezicht ontsierde. Als haar gevraagd werd of ze iets verlangde schudde ze het hoofd, ze droomde maar wat.

Ze hadden eitjes gekookt en lepelden erin toen ze in kamerjas, maar gewassen en gekapt de woonkamer betrad.

Naast haar bord het keurig geplooid servet, op het bord het eitje in zijn dopje. Ze tikte met haar mes het kapje ervan af. De geur van het lauwe vloeibare eiwit, de geur van een morgen die een mooie dag beloofde. Ze besproeide met zout en peper en spitte er wat in. En ineens dacht ze — hoe het kwam was niet te achterhalen — aan Ann zoals ze was drie of vier jaar oud, een guitige peuter met een froufroutje op het voorhoofd en een gevlochten paardestaart in de nek. En hoe die peuter doodernstig met plakaatverf aan het kladderen was in een prentenboek. En hoe zij haar onder de ronde kin kietelde om de oogopslag te zien, de lach, de kleine tandjes. Het beeld bleef bij, het maakte weemoedig en blij tegelijk. Het lag verloren in het verleden en was niet opnieuw te beleven.

Opeens voelde ze zich over alle remming heen.

'Ann,' zei ze, 'ik heb besloten vandaag bij je vader terug te keren en er te blijven als hij het goed vindt.'

Er was een poos stilte. Het gonsde in haar hoofd en ze voelde zich rood aanlopen, ze stortte in een suizelende afgrond. In een waas zag ze Els opstaan, zich naar haar buigen, haar zoenen lang en nadrukkelijk. Ze hoorde haar fluisteren: 'gefeliciteerd, heel gemeend gefeliciteerd.'

Dan kwam Ann, onhandig voor haar doen, een krop in de keel. Ze sloeg de armen om haar schouders, drukte haar voorhoofd tegen haar slaap, haar lange haar viel voor haar gezicht, een gordijn dat betraande ogen verborg voor Els, die weer op haar plaats was gaan zitten en eindeloos boter streek op een snede bruin brood.

Dan waren ze allebei druk in de weer om haar te dienen. De ene schonk koffie voor haar in, de andere bood het melkkannetje en het suikervat aan. Er werd gelachen en geschaterd, niemand wist waarmee.

Plots werd Ann ernstig.

'Kunnen we daar zo binnenvallen? Ik bedoel: zonder dat vader vooraf verwittigd is. We kunnen er in geen geval arriveren als hij niet thuis is. Hij moet ons kunnen ontvangen... Of buiten gooien.'

'Je kunt telefoneren' merkte Els op.

'Daar dacht ik aan. Maar wie zal het doen? Jij, Moeder?'

'Wees jij mijn boodschapster, Ann. Hij zal blij zijn je stem te horen.

Hij hield van Ann. Hij hield van zijn hele gezin. Hij had het alleen op een afschuwelijk verkeerde manier getoond. God gave dat hij niet op zakenreis was. Of op zijn beurt weg met vakantie. Hij kon het gebruiken. Konden ze met zijn allen ergens heen gaan, het hoefde niet heel ver te zijn.

Ann stond met de hoorn tegen haar gezicht. Het duurde eindeloos eer ze antwoord kreeg. Louisa voelde zich koud worden. Het moest vandaag gebeuren. De beslissing was uit de hemel gevallen. Ze zou geen stand houden als ze niet meteen uigevoerd werd. Teveel was tegen. Ze zouden komen opzetten, de vele redenen, ze zouden dreunen in haar hoofd, ze zou niet meer weten waar ze aan toe was.

Ann praatte in de telefoon. Louisa begreep niet wat ze zei. Ze begreep niets meer. Ze had het gevoel op een onbewaakt ogenblik ingescheept te zijn, en nu meegezeuld te worden tegen haar wil in, niet wetende waar het haar brengen zou. Misschien kon ze het nog tegenhouden, alles ongedaan maken. Het kreunde in haar: we hebben ons vergist, het gaat niet door, het kan niet, het mag niet. Maar geen woord kwam over haar lippen. Haar spraakorgaan was verlamd en haar handen, wezens los van haar, waarop ze geen zeggenschap had, pulkten aan het tafelkleed. Ik word gemaneuvreerd, dacht ze. De twee meisjes brengen me waar ik niet heen wil. En ik laat begaan. Wie ben ik?

Ann knikte heftig terwijl ze in de hoorn praatte.

'Goed. Om zes uur. Ja, moeder zal akkoord gaan.'

Meteen keerde ze zich naar haar toe. Haar gezicht was op zijn mooist nu, levendig, de ogen bewaasd glanzend, een blos van opwinding op de strakke wangen.

'Ik had Geert aan het toestel' zei Ann. 'Vader was er nog, maar hij zou net vertrekken. Hij moest naar Rijsel. Hij zou zijn best doen om om vier uur thuis te zijn. Geert heeft tussendoor met hem gepraat. Hij vindt het fijn dat alles weer in orde komt, zei Geert. We zijn afgesproken tegen zes uur. Dan is vader zeker thuis.'

We zijn afgesproken, zei Ann. Geert en Ann hadden het bedisseld. Het ging om haar leven, om haar gedeukt gemoed, en ze liet haar kinderen bekokstoven. Ze voelde haar lippen verstijven in een droevige glimlach. Ze hebben me zo ver gekregen. Ze weten niet wat ze van mij vragen.

'Niet blij' vroeg Ann.

'Ik weet het niet. Blij en droef tegelijk. Ik hoop dat het geen vergissing is.'

Ze ving een puntige blik van Els op.

'Mams, ik ben voor jullie een vreemde en ik heb het recht niet iets in het midden te brengen. Toch doe ik het. Ik ken je nog maar een paar weken, maar ik meen genoeg over je en over jullie allen te weten om te kunnen verzekeren: het is de enige beslissing die je kon treffen. Als je het niet gedaan had, zou je je hele leven spijt gehad hebben. En je zou niet gelukkig geweest zijn. Zoals mijn moeder. Ik weet nu pas hoe ongelukkig mijn moeder is. Ze kan zich pantseren zoals geen ander, maar op de duur zie je daar doorheen. Van op afstand zie je er beter doorheen dan wanneer je er voortdurend bij bent.'

'Je kunt gelijk hebben, Els. Hoe dan ook, de beslissing is gevallen en reeds kenbaar gemaakt. Er rest nog wat rompslomp. Afrekenen met mijn advokaat en zo. Maar dat kan wachten. We moeten de dag zien door te komen. Het wordt een lange dag.'

'We hebben een boel werk' zei Ann, 'inpakken, koken.'

'Je stelt je niet voor dat ik daar meteen met mijn volledige inboedel arriveer.'

'Je kleren moet je in alle geval hebben. En mijn kleren. Als je na een week tot de konklusie komt dat het niet houdbaar is, breng je alles terug.'

Er volgde gekwebbel. Kleren werden op de bedden gespreid. De zomer was zo goed als voorbij. De zonnejurken konden voorlopig op de flat blijven.

'De badpakken moeten mee. Voor het geval we naar zee gaan.'

'Vader houdt niet van luieren op het strand.'

'We schikken ons. We zullen elkaar verstaan. We zullen ons best doen. Ook jij, Ann.'

Els stond in gedachten verzonken toe te zien. Ze nam geen deel aan de bedrijvigheid.

'Jij neemt alles mee wat je bij je hebt, veronderstel ik, Els.'

Els antwoordde niet. Ze staarde Ann verdwaasd aan.

Ann kreeg het op de zenuwen.

'Je denkt toch niet dat je zult storen. Je behoort tot de familie. Je moet alles meemaken.'

Els reageerde niet.

'Als je het liever niet meemaakt' zei Ann nukkig 'blijf dan

hier, op moeders flat. We komen je dan morgen halen.'

Els scheen uit een verdoving te ontwaken.

'Ik weet niet... Kan ik even naar de stad? Ik wou graag een paar boodschappen doen.'

Moeder en dochter bleven alleen achter, ietwat onwennig.

Het was net alsof ze het vreemde meisje erbij nodig hadden om het met elkaar te kunnen vinden.

'Zou ze echt niet meegaan' vroeg Ann. 'Het zou me spijten.'

'Ik denk niet dat ze het zal willen. Ze is fijngevoelig. Ze zal menen dat we op het verzoeningsfeest onder ons moeten zijn.'

'Verzoeningsfeest!'

'Je vader zal er een feest van maken. Je kent hem toch. Hij heeft een overwinning behaald.'

Ann liet de jurk, die ze bezig was op te plooien op het bed vallen en keek haar moeder strak aan.

'Ga je weer aan het wrokken?'

'Nee, Ann, wees gerust. Ik heb het uitgevochten. Wat niet belet dat ik de kleine kanten voor ogen heb.'

'Het zou me spijten als Els er niet bij was.'

'Mij ook. Maar ik zou het begrijpen. Jij zou er als vreemde ook liever weg blijven.'

'Zelfs nu zou ik liever pas arriveren als alles voorbij is.'

'Ook ik zou graag een paar dagen ouder zijn. Wij horen er in alle geval bij. We zijn de hoofdakteurs van het gebeuren. Jij en ik.'

Hoofdakteur van het gebeuren genoemd te worden, bracht Ann aan het mijmeren. Het riep een stuk verleden op. Zij had de beslissende stoot gegeven. Haar wrok had de bezwaren van de kaart geveegd. Het was maanden geleden, het was alsof het pas gisteren was, de toorn in de blik, de nurkse gebaren, het hele lichaam gespannen in vijandig verweer, en de uitgestoten woorden, de sissende verwijten. Het was niet vergeten. Ann's vluchtende blik en het bloed dat haar naar het hoofd steeg gaven te kennen dat het haar kwelde. Ze hoefde zich niet schuldig te achten, dacht Louisa. Ze was het niet. Hij was het en zij zelf. Allebei hadden ze stekels uitgezet en het alsmaar erger gemaakt.

'Ik overdrijf' zei ze, 'als ik zeg dat je hoofdakteur bent. Je hebt maar een bijrolletje. Maar een belangrijk bijrolletje.'

Ze liet zich neer op het bed. Ze voelde zich opeens heel moe, niet in staat om het hoofd te bieden aan wat haar te wachten stond. Ze schopte haar schoenen uit en ging languit liggen.

'Kom even bij mij' fluisterde ze.

Ann nestelde zich in haar armen.

'Ik hoop uit de grond van mijn hart dat het in orde komt. Tussen je vader en mij, maar ook met jou. Ik heb om jou angsten uitgestaan als ik met vakantie was, ginds in Elounda. Toen ik het verhaal gehoord had over de zus van Els, zag ik het keer op keer voor mijn ogen gebeuren. Niet de mij onbekende zus van Els liep moedernaakt over de spoorstaven maar jij. Ik werd er ziek van. Ik kon het me zelf niet vergeven jullie in de steek gelaten te hebben.'

Ann zoende haar.

'Het is goed zoals het is' zei ze. 'Het kon niet blijven duren. Het was ondraaglijk geworden. We hadden een schok nodig, die ons ondersteboven schudde. Ook met mij kon het zo niet doorgaan.'

Ze lagen een poos zwijgend naast elkaar.

'Ik vraag me af,' zei Louisa 'hoe het met mij zou gesteld zijn als ik Els niet ontmoet had.'

Ann lachte.

'Je zou een andere man ontmoet hebben, een Engelsman of een Duitser. We zouden bij je op vakantie komen in Manchester of in Düsseldorf.'

'Zwijg. Het is afschuwelijk wat je zegt.'

Na een poos vervolgde ze.

'Het is vreemd te bedenken van welke toevalligheden het verloop van een mensenleven afhangt.'

Bij zichzelf dacht ze: mijn ouders zouden het gehad hebben over de goddelijke voorzienigheid, en ze zouden dankbaar geweest zijn. Nu is dat uit de tijd. De dankbaarheid is er niet meer bij. We hebben van ons hart een steen gemaakt en gaan de weg naar Canossa, het hoofd in de lucht, trots omdat we het van ons zelf gedaan gekregen hebben.

'Els blijft lang weg' merkte Ann op. 'Ik vraag me af wat ze in de stad uit te richten heeft.'

'Ze zal een bloemetje willen kopen. Ze is ons heel genegen.'

'Els is geweldig. Ik heb heel wat aan haar te danken.'

Ook ik heb veel aan haar te danken, dacht Louisa, maar ze durfde het niet luidop te zeggen. Het was gek dat een vrouw van haar leeftijd zich leiden liet door een amper volwassene. Je zou gaan denken : dit is geen meisje van vlees en bloed, dit is een bovenaards wezen, een engel naar ons gestuurd om met veel geduld en een onvoorstelbare takt ons te brengen waar we thuis horen. Het deed haar goed zo over Els te denken. Het gaf het gevoel dat er ergens vandaan steun te verwachten was om aan de komende dingen het hoofd te bieden. Vaag gaf ze er zich rekenschap van dat ze aldus in het oude spoor terecht kwam, dat ze onbruikbaar had geacht, dat van een goddelijke voorzienigheid, die het voor haar schikte. Ik zou moeten kunnen bidden, dacht ze verder. Bidden voor Ann, terwijl ik haar in mijn armen houd. Ik kan het niet. Maar misschien gaat er, terwijl we zo naast elkaar liggen, een kracht van mij uit, die Ann tot in de ziel beroert.

'Daar is Els' zei Ann.

Het gezoem van de lift hield op, de deur ervan schoof dicht. De stem van Els en de stem van de buurvrouw van de belendende flat klonken dof door de muren.

Ann spoedde zich om open te doen. Terwijl Louisa voor het toiletspiegeltje haar haar in orde bracht, trof haar een uitroep van Ann.

'Dat kan niet.'

'Toch wel. Om 16 uur 23' vertrekt de trein. Ik heb reeds het kaartje. En ik heb mijn vader opgebeld. Hij haalt me af aan het station.'

Ze beschouwt haar taak als volbracht, overlegde Louisa. Ze wil geen pottekijkster zijn. Ze wil niet staan glunderen terwijl ze het sukses van haar gemaneuvreer in ogenschouw neemt. Ik zal tegen dit onverhoedse vertrek niet protesteren. Best dat ze gaat. Voor ons en voor haar.

'Wil jij niet dat ze nog enkele dagen blijft' vroeg Ann.

'Ze moet doen wat haar hart haar ingeeft' antwoordde

Louisa. 'Maar ze komt op bezoek. Spoedig. Met Kerstmis of met nieuwjaar, om het even, wanneer het haar schikt.' Maar ze zal niet op bezoek komen, dacht ze. Ik kan niet precies formuleren waarom ik het zo voel. Ze is een van die wezens die slechts korte tijd in een mensenleven een plaats innemen, en er daarna voorgoed uit verdwijnen. Ze zal nog vaak in mijn herinnering opduiken. Ook in die van Ann. Ik hoop het voor Ann. Ze zal het nodig hebben. Maar ik zal niet de behoefte hebben haar weer te zien. Het is vreemd. Het is misschien ondankbaar. Ze heeft ons over een krisis heen geholpen. Die krisis wil ik niet opnieuw beleven.

Ze aten zwijgend en hadden na afloop weinig te vertellen. Els had het over haar toekomstplannen. Ze zou haar studies weer aanvatten en uitzien naar een partiële job. Voorlopig zou ze bij haar vader intrek nemen, maar als ze de mogelijkheid zag zou ze alleen gaan wonen. Ze vreesde dat ze het niet lang zou uithouden bij haar vader en dat nieuwe vrouwtje van hem. Niet dat ze er wat op tegen had. Ze kon haar vader begrijpen. Maar die twee elkaar zien beknuffelen zou haar telkens de zelfmoord van haar zus te binnen roepen. Ze kon het niet helpen, ze bracht het ermee in verband. En ze zou haar vader gaan verfoeien, wat de lieve man hoegenaamd niet verdiende. Ze deelde dat alles op vlakke toon mee, als de konklusie van een zakelijk overleg.

Het uur van het afscheid naderde. Het waren lege momenten die men niet gevuld kon krijgen. Veel was er te zeggen en te uiten, maar er lag een domper op. Morgen of overmorgen zou het hun te binnen vallen en het zou hen dan spijten het gepaste moment te hebben laten voorbijgaan.

Voor Louisa was er ook de flat, de straat, de buren van het gebouw, het uitzicht, de straatgeluiden, dingen die straks tot het verleden zouden behoren. Ze was er misschien gelukkig geweest. Ze had vrij geademd. Ze had haar huishouden gedaan zoals het haar schikte, bevrijd van de vrees gekleineerd te worden. En met Ann en Els was haar geluk haast volkomen geweest. Niet algeheel volkomen nochtans, want er viel een beslissing te treffen en de wroeging was een sluipend gif.

'We zullen elkaar schrijven' zei Ann. 'Je hebt ons adres.

Laat ons dat van jou kennen zodra je gefixeerd bent.'

Els beloofde zonder veel overtuiging. Ze zou niet schrijven, dacht Louisa. Ook zij had een krisis doorgemaakt, waaraan ze liefst niet te nadrukkelijk herinnerd werd. Het was allemaal vreemd en onwaarschijnlijk en toch te begrijpen. Voor het laatst nam ze Els op. Het ronde gezicht, het voorhoofd waarvan het zonnebruin begon te schilferen, de trouwe ogen die haar blik ontweken, de volle lippen die beheerste sensualiteit konden uitdrukken, de handen die tussen de knieën gevouwen waren. Naar die handen zat ze te staren. Eigenlijk was ze meelijwekkend want nergens thuis. Een warm gevoel kwam bij Louisa op. Dit jonge ding had zich uitgeput om het voor haar ten beste te doen keren, en ze moest haar laten gaan, ze kon niets voor haar doen.

'Els' zei ze 'wat er ook gebeurt, bij ons zul je steeds een thuis vinden. Als je in de put zit, kom dan. Je hoeft niet vooraf te verwittigen.'

Els sloeg even de ogen op en glimlachte geforceerd.

'Ik dank je, maar ik sla er me wel door. Ik heb ook iets van mijn moeder meegekregen.'

Het was tijd voor de trein. Ook aan trage uren komt er een eind.

Els en Ann zaten achteraan in de auto. Omkijkend bij het achteruit rijden, merkte Louisa op dat ze elkaar bij de hand hielden. Mooie vriendschap, dacht ze. Wellicht houdt ze stand, ondanks de afstand en ondanks de hinderpalen die ik bedacht heb. God geve het.

Aan het station ging het heel vlug. Een oppervlakkig gezoen, wat gewuif voorbij het hek van de kaartjesknipper.

'We hebben nog een dik uur' zei Louisa tegen Ann, die haar ontroering verbeet.

'We kunnen een kleinigheid kopen voor Geert en Treesje, en voor vader een das. Hij heeft een lade vol, maar voor dassen heeft hij een zwak.'

Gearmd liepen ze naar de winkelstraat.

14

Op de tafel het mooiste kleed dat ze bezaten, voor elk bord een tuiltje rozen, Moezelwijn bij het voorgerecht, Bordeaux bij de hoofdschotel, champagne bij het dessert. En zij mocht van haar stoel niet opstaan. Geert en Treesje serveerden. Ze liepen heen en weer naar de keuken, waar een aangestelde bedrijvig was van de tafelhouderij, waar het allemaal besteld was. En hij knikte al maar door, niet bepaald glunderend, maar toch blij, en ook een tikje angstig. Niets mocht tegenvallen. Zij en Ann waren voor een dag koningin en prinses, zo zei hij. Hij hoopte dat ze het ook in het vervolg zouden blijven als het er minder feestelijk aan toe ging.

Er was een onbezette plaats want ook voor Els was er gedekt. Geert en Treesje, die een dag met haar hadden doorgebracht, waren erg op het Hollandse meisje gesteld. Ze begrepen niet waarom ze zo onverhoeds moest vertrekken.

Ann legde uit. Els voelde aan dat ze er niet bij hoorde. Ze had bovendien haar eigen problemen, erg drukkende problemen. Ze zou niet zonder meer vrolijk kunnen zijn. Zonder het te willen zou ze een schaduw werpen op wat er hier gebeurde.

Ann sprak met een beslistheid, die te kennen gaf dat ze helemaal achter de houding van Els stond. Even rees voor de bewaasde blik van vochtige ogen het beeld van Els, die zeulend met haar reisgoed over de perrons liep van een Nederlands spoorwegstation, uitkijkend naar een vader, die niet opdaagde. En meteen ontrolde zich in een nevelige sfeer een tafereel dat zich op een spoorbaan van de omgeving had afgespeeld, een meisje dat moedernaakt op de berm klauterde en zich onder de aanrazende trein wierp.

Maar er klonken uitgelaten stemmen rondom. De glazen werden steeds weer vol geschonken. Iedereen putte zich uit in lieftalligheden. Een roes maakte zich van Louisa meester. De goedgunstige gezichten die voor haar troebele blik zweefden en praatten en lachten vervulden haar met een haast benauwend geluksgevoel. Voor een dag was alle leed gebannen, voor een dag waren achterdocht, vrees en welke kommer ook, uit de boze.

Die euforie zou ze zich blijven herinneren. En ook dat ze een nieuwe zijden nachtjapon vond op het echtelijk bed, waarvan de dekens uitnodigend opengeplooid waren zoals in luxehotels bruikelijk is, en dat er zachtgroene lakens lagen, die ze niet kende.

Ze stortte in de slaap als in een put. Toen maagkrampen haar wakker maakten, was het volop nacht.

Ik moet gedroomd hebben, dacht ze. Ann zag ze over een strand lopen naast een jonge man zonder gezicht. Dan zag ze ook zware Romaanse gewelven, waaronder schaars licht hing, dat door kleine boogvensters naar binnen viel. Er moest muziek geklonken hebben. Het was uitgestorven maar het zinderde nog na op de vergulde lichtbalken die schuin onder de vensters stonden. Een rustig golvend gezang van jonge stemmen was het geweest.

Ook de man, die naast haar lag, was wakker. Zijn adem ging onregelmatig, licht piepend bij wijle. Ze had met hem te doen. Hij was vermagerd. Het was haar opgevallen toen ze het huis betrad en hij haar in de hal met open armen tegemoet kwam. Op zichzelf kon die vermagering geen kwaad. Maar de vale huidskleur, de wallen onder de ogen en iets beverigs over zijn hele figuur verrieden een vroegtijdige veroudering. Hij kon zich nog jaren overeind houden, dravend van het ene naar het andere, aan vele beslommeringen het hoofd biedend, als hij zich maar veilig in de rug gedekt wist.

Ze strekte haar arm uit en raakte een hand, die klam was van het zweet.

'Ook wakker?'

'Ja, maar ik heb reeds geslapen. Meer zelfs dan eender welke nacht de laatste weken. Ik heb gedroomd. Een vreemde droom.'

'Ik geloof dat ik ook gedroomd heb.'
'Een mooie droom?'
'Ik vond hem aangenaam.'
'Wil je hem vertellen?'
'Eerst die van jou.'
'Nee, die was te akelig.'
Ze lagen een poos te zwijgen. Dan vroeg ze.
'Hoe lang is het geleden dat we samen een rondreis maakten in de Provence?'
'Misschien twintig jaar. Heb je daarvan gedroomd?'
'Ik denk het.'
Weer zwegen ze een poos.
'Herinner je je dat we abdijen bezochten, die van Sénanque, waar toen nog enkele paters woonden, en die van Silvacanne? In Sénanque hebben we likeur gekocht. Ik herinner me nog welk een indruk van rust en zekerheid uitging van die stoere gebouwen. Maar het duidelijkst staat me nog de abdij van Silvacanne voor de geest. We hadden de wagen geparkeerd op een verbreding van de weg door het bos. Er was een half vergaan bordje met een pijl en het woord Silvacanne. We liepen langs een mager tarweveld over een smal pad en we hoorden muziek uit de abdijkerk klinken. Het was een meerstemmig gezang van jonge stemmen. Het klonk ongelooflijk mooi. Toen we de kerk betraden vernamen we dat een Spaans kinderkoor er repeteerde voor een uitvoering, die dezelfde avond moest plaats hebben. Ik had er willen blijven tot de repetitie voorbij was. Maar jij wilde verder. Je had het programma voor ogen dat je die dag wilde afwerken.'
'Ik herinner me nog Sénanque. De tocht liep over een smalle slecht liggende weg. Aan de ene kant de ravijn, aan de andere kant een loodrechte rotswand. Je kon er geen tegenligger kruisen. Je moest ergens een verbreding zoeken te vinden en je daarin maneuvreren tot de andere voorbij was. Ik ben niet onder de indruk gekomen van de rustgevende eigenschappen van die gebouwen. Misschien moest ik teveel denken aan de gevaarlijke weg, waar we terug langs moesten.'
Ze lachte ontspannen.

'Mijn aandacht ging telkens naar andere dingen dan die van jou. Ik bekreunde me niet over je chauffeurstormenten, en jij had geen tijd voor de dingen, die mij interesseerden. Dat we niet mochten blijven luisteren naar de Spaanse kinderen in Silvacanne heb ik als een krenking aangevoeld. Het is me een hele tijd blijven ergeren.'

'En nu droom je erover. Het is niet erg geruststellend.'

'Zo mag je het niet opvatten. Ik zei het reeds: mijn aandacht ging telkens naar andere dingen dan die van jou. We deden geen van beiden inspanningen om zich in elkaars plaats te stellen.'

'We hebben vroeger nooit zo kunnen praten. Het is goed dat we het nu kunnen.'

Ja, het was goed. De man was ontvankelijk voor wat ze zei. Hij was het vroeger nooit geweest. Hij had geen tijd. Ze kon het ook niet wagen hem met futiele zaken lastig te vallen. Hij had geen gevoel voor haar verzuchtingen. Of misschien had hij er wel gevoel voor, maar had ze dat gevoel nooit aangesproken, geremd als ze was door het ontzag voor het vele dat hij op zich nam. Hij was de redder van het familiebedrijf, dat had ze steeds voor ogen. Teveel had ze het voor ogen. En zijn woord had gezag in werkgeversverenigingen en op de ministeries. Zo waren ze van elkaar weggegroeid. Dat hij met zijn vierkante gestalte en zijn zware kop weinig aantrekkelijk was, en het steeds minder werd naarmate zijn zwaarlijvigheid toenam speelde daarin geen rol. Zijn recente vermagering was zijn figuur niet ten goede gekomen. Hij liep er wat verlept bij en de indruk van sterkte en autoriteit, die van hem placht uit te gaan, was grotendeels verzwonden. In haar ogen althans. Maar andere faktoren speelden daarin een rol. Ze kon zich zijn gelijke achten. Voor het eerst kon ze dat. Was daaraan het gevoel van welbehagen te danken?

Ze lagen naast elkaar, enkel elkaars hand aanrakend, en pratend zoals ze eerder nooit gedaan hadden. Ze was dankbaar dat hij zich daarmee vergenoegde. Als hij haar had willen nemen zou ze niet afgeweerd hebben, maar het zou haar gekrenkt hebben. Ze zou het aangevoeld hebben als een manifestatie van mannelijke superioriteit, die niet kon nalaten rechten meteen te laten gelden. En toch verlangde ze het. Ze was er lange tijd van gespeend geweest. Vreemd hoe de gretigheid haar vervulde. Ze mocht dit niet laten merken, zijn schroom moest ze met respekt beantwoorden. Morgen, als alles goed ging, zou zij uitnodigen.

Ze sloot de ogen en was op het punt weer in de slaap weg te glijden. Iets hield haar tegen. Ze had het gevoel tegenover hem in gebreke gebleven te zijn. Ze moest zich in zijn plaats stellen zoals hij zich in haar plaats trachtte te stellen.

'En jouw droom' vroeg ze.

'Hij is niet zo interessant als die van jou. Ik vertoefde niet in Romaanse abdijen. Het was een akelige belevenis. Ik bespaar je ze liever.'

'Dan schiet je tekort. We moeten elkaar begrijpen. Je droom kan helpen.'

'Als je het per se wilt. Ik vrees dat hij je de slaap zal beletten. Het is een geschiedenis die kop noch staart heeft.'

'Daarom is het een droom.'

'Ik bevond me in een oud huis, in de aard van datgene, waar ik opgegroeid ben, maar iets ruimer. Je kent dit soort huizen dat gebouwd werd een eind voor de oorlog van 1914, een benedenverdieping met drie kamers, die op elkaar volgen, een gang die naast die kamers loopt en die uitgeeft op een keuken. Achter die keuken heb je nog een paar aanbouwsels, een achterkeuken en een washok, en soms nog een bergplaats. We hadden dit huis pas aangekocht of in huur genomen. Jij was een en ander aan het schikken boven, en ik verkende die aanbouwsels achteraan. Er lag onder spinnewebben een hoop vodden en zeilen, achtergelaten door vroegere bewoners. Ik tilde een voor een die half rotte weefsels op, misschien om te zien of er nog iets bruikbaars te vinden was. Tot mijn verrassing ontdekte ik het lijk van een jonge vrouw. Het was ongeschonden, maar krijtwit en enkel gekleed in een soort onderjurk of in een luchtige nachtjapon.'

'Afschuwelijk.'

'Ik heb je gewaarschuwd. Maar het verhaal is niet ten einde. Ik liep naar boven om je op de hoogte te brengen van mijn ontdekking. Ik kon je nergens vinden hoewel ik zeker wist dat je het huis niet verlaten had. Toen ik terug beneden kwam en naar achteren liep, was het lijk levend geworden. Het stond me op te wachten naast de deur van het hok.'

'En verder?'

'Verder niets. Ik ben wakker geschoten.'

'Gelukkig. Ik vroeg me af wat je met het verrezen lijk had kunnen aanvangen.'

'Ik kan er niet mee lachen. Ik beefde toen ik wakker werd.'

'Ik lach niet. Het is inderdaad een nare droom. Hoe komt een man als jij ertoe zo iets te dromen.'

'Dat vraag ik me ook af.'

Na een poos vroeg hij:

'Weet je dat mevrouw Mommens gestorven is?'

'Ann heeft het me verteld. Meen je dat je droom met haar overlijden te maken heeft?'

'Hoe kan ik het weten?'

Dromen uitleggen is werk voor psychoanalisten. De moeder van Els zou er een kluif aan gehad hebben. Een vrouw in nachtgewaad, dood liggend onder een hoop afgedankt tekstiel, die plots weer levend wordt. Het moest verband houden met ongekende bekommernissen van de man. En zij zelf was in het huis maar niet te vinden. Er ging haar een licht op.

'Herbert' zei ze zacht.

Er kwam geen antwoord. De gelijkmatige diepe ademhaling van de man gaf te kennen dat hij weer ingeslapen was. Best zo, dacht ze.

24 september 1984

VAKANTIE IN ELOUNDA
van
Jaak STERVELYNCK
verschijnt als vierde boek in het uitgavenplan
1985/1986 van
BOEKENGILDE DE CLAUWAERT
en is gedrukt en gebonden bij de firma
Scheerders van Kerchove N.V., Sint-Niklaas